최원휘 SELF 교육학

핵심개념 456

최원휘 편저

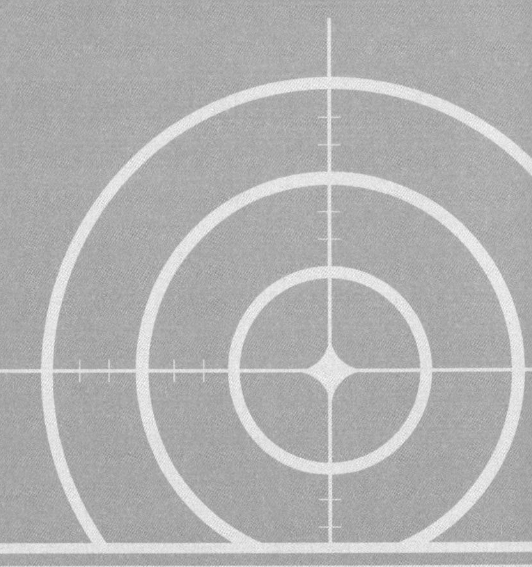

박문각

이 책의 머리말

"결국, 정확한 '암기'가 합격의 문을 엽니다."

임용 교육학 출제 트렌드가 예전과 많이 달라졌다고는 하지만, 우리가 간과해서는 안 될 냉정한 사실이 하나 있습니다. 전체 20점 배점에서 구성 점수를 제외한 15점 중 약 8점 내외, 즉 절반 이상이 여전히 이론의 특징·명칭·장단점을 묻는 '이론형 문제'로 구성된다는 점입니다. 또한, 현장형 문제에 대한 유연한 답변 역시 탄탄하게 내재화된 교육학 이론이라는 뿌리 없이는 결코 흔들림 없는 고득점을 만들어낼 수 없습니다.

많은 선생님들이 교육학을 공부할 때 겪는 가장 큰 고충은 '아는 것 같은데 막상 쓰려니 잘 안 되는' 일종의 학습 착시현상입니다. 눈으로만 읽는 '수동적 회독'은 뇌에 일시적인 친숙함만 줄 뿐, 실제 시험장에서 필요한 '능동적 인출' 능력까지 보장해주지 않습니다. 이론을 다 알고 있다고 생각해도 막상 백지를 마주했을 때 적절한 개념어가 떠오르지 않는다면, 그것은 아직 지식이 완전히 선생님의 것이 되지 않았다는 신호입니다.

이 책은 선생님들의 이러한 갈증을 해소하고, 방대한 교육학을 가장 효율적으로 정복하기 위해 다음 세 가지에 집중했습니다.

1. 이론형 문제의 완벽한 대비와 정확한 파지 유도

그간의 기출문제와 주요 교과서를 철저히 분석해 선별한 456개의 핵심문제를 통해, 이론의 본질인 개념·원리·장단점을 완벽하게 정복할 수 있도록 구성했습니다. 문제를 직접 풀어보는 과정은 단순히 내용을 확인하는 것을 넘어, 지식이 장기기억으로 전이되는 강력한 '파지(Retention)' 효과를 가져다줄 것입니다.

2. 학습의 긴장감 유지와 스터디 최적화

단순히 읽기만 하는 공부는 자칫 지루하게 느껴지거나 집중력이 흐트러지기 쉽습니다. 본서는 매 문제를 풀 때마다 적절한 긴장감을 유지하게 하여 학습 효율을 극대화합니다. 또한, 명확한 배점과 항목화된 문제 구성을 통해 '교육학 스터디'에서 상호 인출 점검용으로 활용하기에 가장 최적화된 가이드를 제공합니다.

3. 전략적 키워드 인출을 위한 '빈칸 해설지'

전공 과목 공부에 80% 이상의 시간을 쏟아야 하는 임용 시험의 특수성을 고려할 때, 교육학은 '최소 시간, 최대 효과'를 내야 합니다. 본서는 해설지인 〈모범답안＆빈칸암기노트〉 내에 핵심 키워드를 직접 기입해볼 수 있는 '빈칸 인출 시스템'을 도입하여, 선생님들이 답안 작성의 핵심이 되는 '채점 포인트'를 본능적으로 체득할 수 있도록 설계했습니다.

시험을 대비하는 가장 정직하고 확실한 방법은 '정확한 암기'이며, 암기를 완성하는 것은 '문제를 통한 확인'입니다. 이 책이 선생님들의 합격 여정에서 가장 단단하고 효율적인 디딤돌이 되기를 진심으로 기원합니다.

이 책이 나오기까지 일과 가정을 모두 챙겨준 아내, 그리고 아빠의 책이 나올 때마다 세상에서 가장 멋진 아빠라고 외쳐주는 소중한 두 공주 솔이와 별이에게 깊은 사랑을 전합니다.

최원휘 드림

연간 커리큘럼 및 이 책의 활용

■ 교육학 학습 전략 및 연간 커리큘럼

1. 출제 원칙과 경향에 부합하는 학습 전략

전공 학습과의 균형을 잡아주는 가장 효율적 강의를 통해

『 어떤 문제도 풀 수 있는 만능 접근 학습 』

- **엄선된 이론**의 핵심 기본내용 파악
- 출제경향에 부합하는 **문제풀이 연습**
- 강의를 통한 **사고의 확장**

"
어떤 문제 앞에서도 강한 마스터키
"

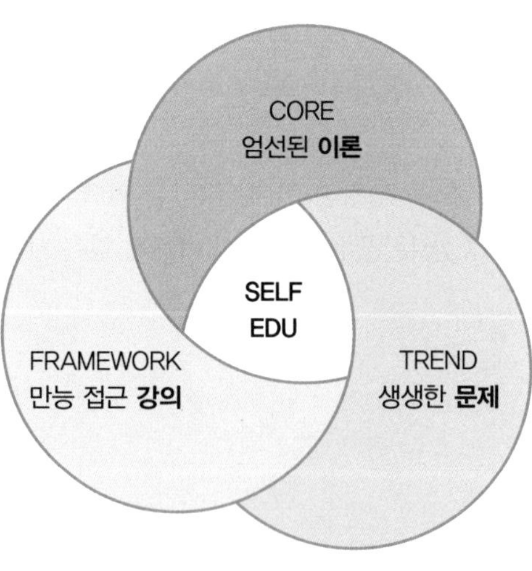

2. SELF 교육학 연간 커리큘럼

┤ 강의 컨셉 ├

『 어떤 문제 앞에서도 강한 마스터키 』

- **"순환 체제"**를 **도입**하여 반복을 통한 핵심 이론 내재화
- **"단계별 문제풀이"**(이론형 인출 → 현장형 인출 → 실전 모의)를 통해 문제해결 역량 함양

구분	강의명	중점 방향	교재
1순환	토대 마련 (1~2월)	교육학 기본이론 이해	SELF 교육학 기본서
2순환	구조화 (3~4월)	기출이론 심화 이해 및 기출(변형)문제 풀이	마인드맵 및 암기 카드 (별도 프린트물)
3순환	이론형 인출 (5~6월)	핵심개념 암기 및 인출	**핵심개념 456**
4순환	현장형 인출 (7~8월)	이론 및 핵심개념의 현장 적용	미라클모닝 300제
5순환	실전 모의고사 (9~10월)	실전 모의고사 풀이	별도 자료
FINAL	최종 점검 및 모의고사 (11월)	최종이론 점검 및 모의고사	별도 자료

2 교재 구성 및 활용 방법

1. 교재 구성

1 본책

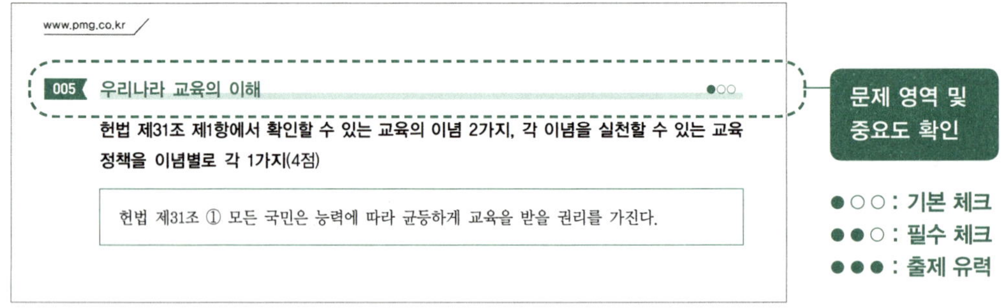

2 모범답안 & 빈칸암기노트

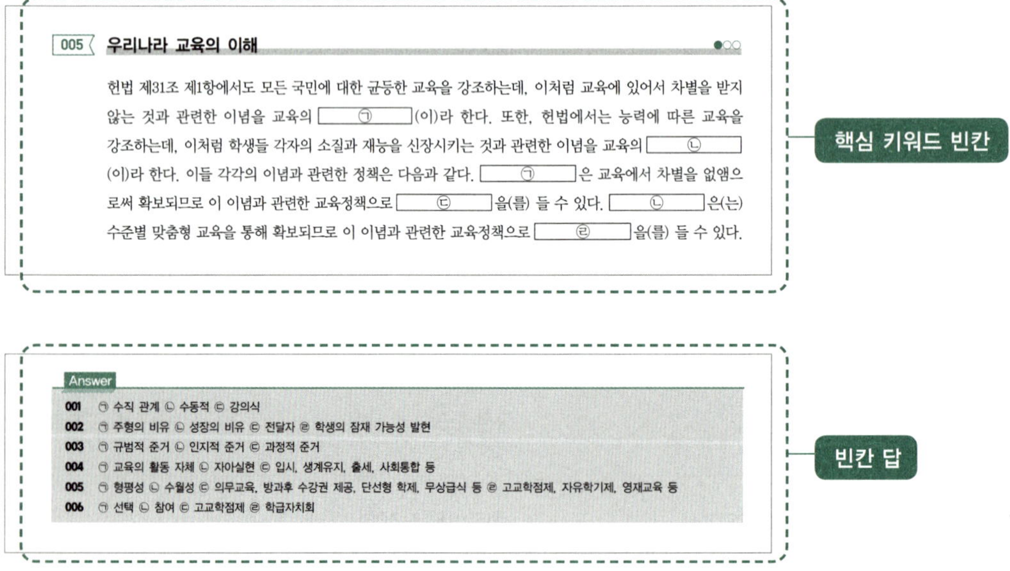

2. 교재 활용 방법

○ **(풀이 시기)** 이론 암기가 진행되는 5~6월이 적합하며, 암기에 어려움을 겪는 수험생(주로 초수)의 경우 7~8월에 사용하는 것도 가능

○ **(풀이 방법)** 개별 주 교재(기본서, 마인드맵, 독학용 교재 등)를 회독하고 회독한 부분에 해당하는 문제 풀이

　※ 모두 텍스트로 적을 필요는 없고 핵심 키워드가 반영된 개조식으로 풀이 권고(문제당 최대 3분)

　※ 필요한 경우 개조식 답안을 인증하는 스터디 조직 및 운영 가능

○ **(복습)** 틀린 문제, 개념 등은 개별 주 교재를 다시 한번 확인하면서 표시

CONTENTS

이 책의 차례

PART V 교육심리 및 생활지도·상담

PART VII 교육사회

PART VI 교육행정

I

교육철학 및 교육사

중요도별 문제 일람표

Chapter	주제별	중요도별 문제 번호			
		●●●	●●○	●○○	–
교육의 기초	교육의 기본적 이해(1~2)				1, 2
	교육의 정의(3)				3
	교육의 목적과 기능(4)		4		
	우리나라 교육의 이해(5~6)			5	6
교육의 역사	한국교육의 역사(7~9)				7, 8, 9
	고대 그리스·로마시대의 교육(10~12)		12	11	10
	중세 및 근대의 교육(13~17)			16, 17	13, 14, 15
	19세기 이후의 교육(18)				18
교육철학	전통철학과 교육(19)				19
	20세기 전기의 교육철학(20~25)		20, 21	22, 23	24, 25
	20세기 후기의 교육철학(26~30)			26, 30	27, 28, 29

Chapter 01 교육의 기초

중요도 ○○○

001 교육의 기본적 이해

다음의 내용과 관련하여 교육에 관한 동양적 어원의 특징 3가지(3점)

> 동양에서는 교육(敎育)의 의미를 '가르칠 교(敎)', '기를 육(育)'으로 구분하여 설명한다. 교(敎)는 성숙자가 바람직한 것과 그렇지 않은 것을 가르고, 이를 통해 미성숙자를 바람직한 방향으로 이끌어 간다는 의미로 해석될 수 있다. 또한 육(育)은 성숙자가 사랑과 관심을 가지고 미성숙자가 선천적 능력을 발휘할 수 있도록 길러준다는 의미로 볼 수 있다.

002 교육의 기본적 이해

교육의 양대 비유와 관련하여 제시문의 각 교사에 부합하는 비유의 명칭을 교사별로 각 1가지, 교사별로 설정할 수 있는 교육목적과 교사의 역할을 교사별로 각 1가지(4점)

> A 교사 : 장인이 일정한 틀에 재료를 부어 동일한 물건을 만드는 것과 같이 교육은 학생에게 일정한 교육과정을 제공하여 성숙한 인간으로 성장시켜 나가는 과정입니다.
>
> B 교사 : 정원사는 식물의 특성에 따라 다른 생육환경을 조성합니다. 이와 같이 교육은 학생의 특성에 따라 다른 교육환경을 조성하는 것입니다.

01

003 교육의 정의

다음과 관련하여 피터스(R. S. Peters)가 말한 교육을 합당하게 하는 준거 3가지(3점)

교육은 내재적으로 가치 있는 것을 도덕적으로 온당한 방식으로 의도적으로 전달하는 것입니다. 따라서 교육은 특정 목적 달성을 위한 수단이라기보다는 교육이 가지고 있는 내재적 가치를 추구할 때 교육이라고 할 수 있습니다. 즉, 교육을 제대로 받은 사람은 전체를 보고 이해할 수 있는 안목이 생기고, 이를 통해 인간으로서 성장하게 되는 것입니다.

004 교육의 목적과 기능

교육의 내재적 목적과 외재적 목적의 개념과 목적별 예시 각 1가지(4점)

005 우리나라 교육의 이해 

헌법 제31조 제1항에서 확인할 수 있는 교육의 이념 2가지, 각 이념을 실천할 수 있는 교육 정책을 이념별로 각 1가지(4점)

> 헌법 제31조 ① 모든 국민은 능력에 따라 균등하게 교육을 받을 권리를 가진다.

006 우리나라 교육의 이해

학습권의 내용과 관련하여 다음의 ㉠과 ㉡에 들어갈 내용 설명, 이 내용을 실현하는 정책 또는 제도를 학습권의 내용별로 각 1가지(4점)

> 학습권의 내용 : ① 학습을 방해받지 않을 권리
> ②   ㉠
> ③   ㉡
> ④ 결과로서의 교육내용 습득을 보장받을 권리

Chapter 02 교육의 역사

중요도 ○○○

007 한국교육의 역사

다음 내용을 참고하여 이색이 제시한 단계적 교수론을 현대에 적용했을 때 교육적 효과 3가지 (3점)

> 고려시대의 교육사상가 이색은 성리학 이념에 기초한 인재 양성을 목적으로 단계적 교수론을 제시하였다. 먼저 본문을 강의하면서 학생들은 경전을 소리내어 읽고 주요 내용을 암기한다. 다음으로 학생들끼리 서로 질문하고 답변하는 논란(論難)의 과정을 통해 본문에 대한 의문을 제기하고 성현의 뜻과 우주의 원리를 깨닫는다. 이후 이치에 적합하도록 절충하고 나아가 주지에 합치하도록 시나 문장을 짓는다.

008 한국교육의 역사

다음 내용을 참고하여 조선시대 과거 시험의 대표적 방식으로서 강경(講經)과 제술(製述) 방식을 현대에 적용했을 때 장점과 단점 각 1가지를 방식별로 제시(4점)

> 판부사(判府事) 변계량이 상서하여 말하기를, "문과의 [초시] 초장(初場)에서 강경(講經)으로 시험하는 것은 옳지 못함이 한두 가지가 아닙니다. 대개 사람들이 학문을 하는 데에는, 어려서는 기송(記誦 ; 기억하여 욈)과 훈고(訓詁 ; 자구의 해석)를 익히고, 장성하여서는 제술(製述 ; 시문을 지음)을 배우고, 늙어서는 저서(著書 ; 책을 저술함)하는 것이 보통입니다. [소과의] 생원 시험에서도 오히려 제술로 그 성적의 높낮이를 매기면서, 도리어 [대과의] 과거 시험 초장에서 훈고만을 시험하여 떨어뜨리는 것이 옳겠습니까. 이것이 옳지 못한 첫 번째 이유입니다."

009 한국교육의 역사

다음 내용을 참고할 때 조선시대 서당의 교수·학습상 특징 3가지(3점)

> 조선시대 서당에서는 학습자별로 그날 외워야 하는 학습량을 정하고 그것을 암송하는 경우에만 다음으로 넘어갔다. 또한 암송 외에도 초·중장놀이, 조조잡기, 가마놀이 등 다양한 학습방법을 활용하였다.

010 고대 그리스·로마시대의 교육

고대 그리스 문화의 특징 3가지, 고대 아테네 교육의 목적 1가지(4점)

011 고대 그리스 · 로마시대의 교육

다음을 참고하여 소크라테스의 대화법에서 확인할 수 있는 질문의 종류 2가지를 질문별 서로 다른 기능 1가지와 함께 제시(4점)

> 교사는 학생에게 "민주주의란 무엇인가요?"를 질문하고, 학생은 "선거를 해서 대표를 뽑는 것이요."라고 대답을 한다. 이에 대해 교사는 선거를 통해 독재자를 뽑았던 사례를 제시한다. 질문과 대답, 피드백을 계속하면서 학생은 자신이 민주주의에 대해 잘못 알고 있음을 깨닫는다. 이에 마지막으로 교사는 학생에게 "스스로 의사결정에 참여하고 자신이 원하는 후보를 뽑을 수 있는 것은 무엇인가요?"라고 질문하면, 학생은 기존에 알고 있었던 개념에 '자유'를 포함시키게 된다.

012 고대 그리스 · 로마시대의 교육

고대 그리스 자유교육의 의미, 특징 2가지(3점)

013 중세 및 근대의 교육

서양 중세 전기의 교육과 후기 교육의 특징을 시기별로 각 1가지, 중세에 대학이 등장한 이유 1가지(3점)

014 중세 및 근대의 교육

르네상스(Renaissance)의 개념, 이 시기 교육의 특징을 개인적 인문주의와 사회적 인문주의로 구분하여 각 1가지(3점)

015 중세 및 근대의 교육

종교개혁 이후 나타난 신교교육의 특징 3가지(3점)

016 **중세 및 근대의 교육** ●○○

실학주의 교육의 주요 내용을 인문적 · 사회적 · 감각적 실학주의 측면에서 각 1가지(3점)

017 **중세 및 근대의 교육** ●○○

루소(J. Rousseau)가 제시한 교육원리 3가지, 루소의 「에밀」에 따를 때 소년기에 적합한 교사의
역할 1가지(4점)

018 **19세기 이후의 교육**

헤르바르트(J. Herbart)가 언급한 다면적 흥미의 개념, 그의 4단계 교수론 중 제시문의 A 교사가
실시하려는 2가지 수업활동에 해당하는 단계의 명칭을 수업활동별로 제시(3점)

> A 교사 : 학생들이 수업을 통해 다면적 흥미를 느끼게 하는 것이 중요해요. 이를 위해 마인드맵을
> 통해 지식 간의 질서를 설명할 것입니다. 이후에는 다양한 예시나 과제를 통해
> 지식을 새로운 상황에 적용하는 활동을 수행할 예정입니다.

Chapter 03 　교육철학

중요도 ○○○

019　전통철학과 교육

진리에 관해서 제시문의 각 교사들이 가지고 있는 관점의 명칭을 전통철학의 측면에서 제시, 각 교사들이 강조할 교육내용을 적절한 교육방법과 함께 제시(4점)

> A 교사 : 교육을 통해 불변하는 진리의 세계로 학생을 안내하는 것이 중요합니다. 따라서 학생들이 감각 훈련을 통해 일시적인 감각의 능력을 계발하는 것이 아니라, 불변의 진리를 탐구할 수 있는 영속적이고 이성적인 능력을 계발하도록 교육해야 합니다.
>
> B 교사 : 궁극적 실재라는 것은 물질이고, 인식으로부터 독립해서 객관적으로 존재하므로 우리는 교육을 통해 학생들이 객관 세계의 법칙과 질서를 파악할 수 있도록 도와줘야 합니다.

020　20세기 전기의 교육철학

●●○

진보주의 교육의 교육목적 1가지, 이를 달성하기 위한 구체적 교육방법 2가지(3점)

021 20세기 전기의 교육철학 

진보주의 교육의 특징 1가지, 제시한 특징과 관련하여 진보주의 교육의 의의와 한계 각 1가지
(3점)

022 20세기 전기의 교육철학

다음과 가장 관련 있는 20세기 전기의 교육철학 사조의 교육내용과 방법 각 1가지, 해당 교육
철학 사조에 따른 교육의 의의와 한계 각 1가지(4점)

> 교육은 과거로부터 발전해 온 기초 기능, 예술, 과학을 학습하는 것입니다. 이러한 기본 교과를
> 통해 성공적 삶을 영위하기 위한 필요행동을 습득할 수 있습니다.

023 20세기 전기의 교육철학

다음의 A 교사가 언급한 두 교육철학 사조의 차이점을 교사 역할, 학생활동 측면에서 각 1가지,
두 교육철학 사조가 현대에 주는 교육적 함의를 사조별로 각 1가지(4점)

> A 교사 : 시대의 변화에 따라 사회에서 필요로 하는 인재상, 지식 등이 변화하므로 특정 교육
> 철학 사조만을 견지하는 것이 아니라 다양한 교육철학을 균형 있게 고려하는 것도
> 필요합니다. 따라서 교육의 양대 철학 사조라고 할 수 있는 진보주의와 본질주의
> 모두 존중할 가치가 있다고 생각합니다.

024 20세기 전기의 교육철학

아들러(M. J. Adler)의 파이데이아 제안에서 언급된 파이데이아의 개념, 현대에도 고전교육이
필요한 이유 1가지와 고전교육을 가장 효과적으로 실시하는 방법 1가지를 항존주의 교육철학의
입장에서 제시(3점)

025 20세기 전기의 교육철학

재건주의 교육철학에서의 교육목적 1가지, 이러한 목적 달성을 위한 구체적 교육방법 2가지(3점)

026 20세기 후기의 교육철학

실존주의 교육철학의 교육목적 1가지, 이러한 교육목적 달성을 위해 부버(M. Buber)가 강조한 교육방법의 특징 2가지(3점)

027 20세기 후기의 교육철학

다음에서 설명하는 20세기 후기 교육철학 사조의 명칭, 해당 철학 사조의 특징 2가지(3점)

> 피터스(R. S. Peters)는 교육, 교수, 학습 등 교육의 주요 개념에 대해 논리적으로 분석하고자
> 했다. 그는 주요 개념을 언어적으로 명료화하면서 교육이론의 논리적 모순성과 모호성을
> 극복하고자 했다.

028 20세기 후기의 교육철학

**불평등을 재생산하는 교육에 대한 비판으로서 비판적 교육철학이 추구하는 교육의 목적 1가지,
이러한 목적의 달성을 위해 하버마스(J. Habermas)와 프레이리(P. Freire)가 제안한 교육방법을
학자별로 각 1가지**(3점)

029 ◀ 20세기 후기의 교육철학

포스트모더니즘 교육철학에서 보는 지식의 관점, 이러한 지식관에 근거할 때 포스트모더니즘 교육철학의 특징을 교육과정과 교육방법 측면에서 각 1가지(3점)

030 ◀ 20세기 후기의 교육철학

홀리스틱(holistic) 교육의 목적 1가지, 홀리스틱 교육의 원리 3가지(4점)

II

교육과정

중요도별 문제 일람표

Chapter	주제별	중요도별 문제 번호 ●●●	●●○	●○○	—
교육과정의 이해	교육과정의 의미(31)				31
	교육과정의 성격(32)	32			
	교육과정의 구분(33~36)	36	33, 34		35
	공식적 교육과정의 구분(37~41)	39		37, 38, 40	41
교육과정의 역사	교육과정 패러다임 전환(42~44)		43	42	44
교육과정의 유형	교과를 중심으로 한 교육과정(45~53)	48	47, 49, 52	46, 50, 53	45, 51
	학습자를 중심으로 한 교육과정(54~57)	55	56		54, 57
	사회를 중심으로 한 교육과정(58~59)			59	58
	역량을 중심으로 한 교육과정(60)	60			
교육과정의 개발	합리적 교육과정 개발(61~66)	64, 65	61	62, 66	63
	단원개발 모형(67~68)	67		68	
	역행설계 모형(69~71)	69	70	71	
	자연주의적 개발모형(72)				72
	예술적 교육과정 개발모형(73~76)		73, 76	75	74
	교육과정 재구성(77~79)	79		77	78
	학교중심 교육과정 개발모형(80~81)		80	81	
	교육과정 설계모형(82)				82
	교육과정의 일반적 설계원리(83~87)	85	84, 87	86	83
	통합 교육과정(88~91)	88	90	89	91
교육과정의 운영 및 평가	교육과정 운영(92~96)		93, 94	95, 96	92
	목표중심 평가모형(97~98)				97, 98
	의사결정 평가모형(99~100)			99	100
	판단중심 평가모형(101~104)			101	102, 103, 104
	자연주의 평가모형(105)				105
교육과정의 정책	2022 개정 교육과정(106~118)	106, 109, 110	108, 117, 118	107, 111, 113, 114, 116	112, 115

Chapter 01 교육과정의 이해

중요도 ○○○

031 교육과정의 의미

다음에서 확인할 수 있는 교육과정 접근방법의 장점과 단점 각 1가지를 접근방법별로 제시(4점)

> 교육과정(Curriculum)은 '달려가야 할 코스(Course of Race)'를 의미하는 라틴어 쿠레레
> (Currere)로부터 유래하였다. 쿠레레에 대한 관점 차이는 교육과정 접근방법의 차이로 이어
> 지는데, 쿠레레는 '코스'에 초점을 두는 접근과 '달리기'에 초점을 두는 접근으로 구분된다.

032 교육과정의 성격

●●●

교육과정을 결정할 때 고려해야 하는 3대 요소를 요소별 서로 다른 고려 이유 1가지와 함께 제시(3점)

033 | **교육과정의 구분**

교육과정 대강화의 개념, 교육과정 대강화의 교육적 의의 2가지(3점)

034 | **교육과정의 구분**

잠재적 교육과정(Latent Curriculum)의 개념, 잭슨(P. Jackson)이 제시한 잠재적 교육과정의 발생 원천 3가지(4점)

035 | **교육과정의 구분**

다음에서 설명하는 교육과정 유형의 명칭, 제시된 특징 외에 기존 학교에 대한 대안으로 제시된 학습망(Learning Web)의 특징 3가지(4점)

> 사회 지배층은 계속해서 지배층으로 남고 싶어 하고 피지배계층 위에 군림하고자 한다. 사회 지배층은 폭력과 억압 등으로 권력을 유지할 수 있지만 교묘한 방법으로 자신의 지위를 유지하고자 하는데, 이때 활용하는 것이 바로 교육이다. 따라서 공식적 교육과정에는 사회 지배층의 이익을 반영하는 교육내용이 계획적이면서도 은밀하게 삽입되어 있다. 그러므로 특정 가치를 주입하는 장소인 학교는 폐기하는 것이 올바르며, 학습망(Learning Web)이 학교를 대체해야 한다. 이러한 학습망은 누구나 쉽게 학습에 필요한 자원에 접근할 수 있다는 특징이 있다.

036 교육과정의 구분

아이즈너(E. W. Eisner)가 언급한 영 교육과정(Null Curriculum)의 개념, 영 교육과정으로 인해 발생하는 부정적 효과를 학습자 · 교과 · 사회 측면에서 각 1가지(4점)

037 공식적 교육과정의 구분

국가 교육과정의 특징 2가지, 해당 특징과 관련한 단점 2가지(4점)

038 공식적 교육과정의 구분

지역 교육과정의 특징 2가지, 해당 특징과 관련한 장점 2가지(4점)

039 공식적 교육과정의 구분 ●●●

학교가 자율적으로 개발·운영하는 학교 교육과정의 장점과 단점 각 2가지(4점)

040 공식적 교육과정의 구분 ●○○

변화 단계에 따라 교육과정을 분류할 때 계획한 교육과정, 실행한 교육과정, 경험한 교육과정의 의미(3점)

041 공식적 교육과정의 구분

글래트혼(A. Glatthorn)이 제시한 실제적 교육과정(Actual Curriculum)의 세부 유형 3가지
(3점)

Chapter 02   교육과정의 역사

중요도 ○○○

042 교육과정 이해 패러다임 전환기   ●○○

다음 내용을 참고하여 교육과정에 대한 처방적 접근의 의의와 한계 각 1가지, 서술적 접근의 의미, 슈왑(J. Schwab)이 제시한 숙의의 4요소(4점)

> 타일러(R. W. Tyler)는 「교육과정과 수업의 기본원리」를 통해 기존 교육과정 논의를 합리적으로 종합하고 정리하고자 했으며, 이러한 접근을 처방적 접근이라 한다. 이러한 처방적 접근에 대한 반발로 서술적 접근이 제시되었으며 슈왑(J. Schwab)은 교육과정의 모습으로서 숙의(Deliberation)를 제시하였다.

043 교육과정의 재개념주의   ●●○

파이나(W. Pinar)가 제시한 쿠레레 방법론의 4가지 단계별 명칭과 주요 내용 설명(4점)

044 교육과정의 재개념주의

공식적 교육과정에 대한 애플(M. Apple)의 비판적 입장 설명, 그가 제시한 탈숙련화(Deskilling)와 재숙련화(Reskilling)의 의미(3점)

Chapter 03 교육과정의 유형

045 교과를 중심으로 한 교육과정

다음 내용을 참고하여 교과중심 교육과정의 밑바탕이 되는 이론의 명칭, 교과중심 교육과정의 특징을 목표·내용·방법 측면에서 각 1가지(4점)

> 힘든 운동을 하면 육체적 근력이 단련되듯이 고전교과를 학습하면 상상력, 이해력, 분석력 등 정신의 근력도 단련된다.

046 교과를 중심으로 한 교육과정

●○○

교과중심 교육과정의 내용 조직 유형 3가지(3점)

047 교과를 중심으로 한 교육과정 ●●○

교과중심 교육과정의 교육과정 조직 유형 중 상관형의 세부 유형 3가지(3점)

048 교과를 중심으로 한 교육과정 ●●●

학문중심 교육과정의 교육목표 1가지, 이 교육과정에서 강조하는 지식의 구조의 개념, 지식의 구조를 학습했을 때 장점 2가지(4점)

049 교과를 중심으로 한 교육과정 ●●○

나선형 교육과정의 특징 2가지, 학습자가 지식의 구조를 발견하도록 돕기 위해 교사가 지식을 표현하는 방식과 교육방법 각 1가지(4점)

050 교과를 중심으로 한 교육과정

다음에 언급된 학문중심 교육과정의 특징과 관련한 장점과 단점 각 2가지(4점)

> 학문중심 교육과정에서는 지식의 구조를 발견하는 것에 초점을 두면서 학습자 주도의 발견
> 학습이라는 수업방식의 적용을 강조한다.

051 교과를 중심으로 한 교육과정

다음 내용을 참고하여 학교에서 다루는 지식에 관한 피터스(R. S. Peters)의 입장과 허스트
(P. H. Hirst)의 후기 입장의 특징을 입장별로 각 1가지, 영(M. Young)이 언급한 강력한 지식의
의미 1가지(3점)

> 학교에서 다루는 지식에 관해 피터스(R. S. Peters)는 '지식의 형식'으로의 입문을 강조하는
> 입장을 취하였다. 초기 허스트(P. H. Hirst)는 이에 동의하였지만, 후기에는 '사회적 실제'로의
> 입문을 강조하면서 지식에 관한 기존의 입장을 번복하였다. 한편, 영(M. Young)은 최근
> 많은 국가들이 역량중심 교육으로 흘러가는 것에 비판적 입장을 취하면서 교육과정에서
> 강력한 지식(Powerful Knowledge)을 다루는 것을 강조하였다.

052 교과를 중심으로 한 교육과정 ●●○

블룸 등(B. Bloom et al.)의 교육목표 분류학에 따를 때 인지적 영역과 정의적 영역을 위계화하는
기준을 영역별로 각 1가지, 구체적 수업목표에 대해 메이거(R. F. Mager)가 제시한 3요소(3점)

053 교과를 중심으로 한 교육과정 ●○○

블룸 등(B. Bloom et al.)의 교육목표 분류학과 비교되는 크래쓰월(D. Krathwohl) 등의
신(新) 교육목표 분류학의 특징 4가지(4점)

054 학습자를 중심으로 한 교육과정

〈보기〉를 참고하여 경험중심 교육과정이 추구하는 궁극적 교육목표 1가지, 이러한 목표를 달성하기 위해 듀이(J. Dewey)가 제시한 교육과정 선정·조직의 원칙 3가지(4점)

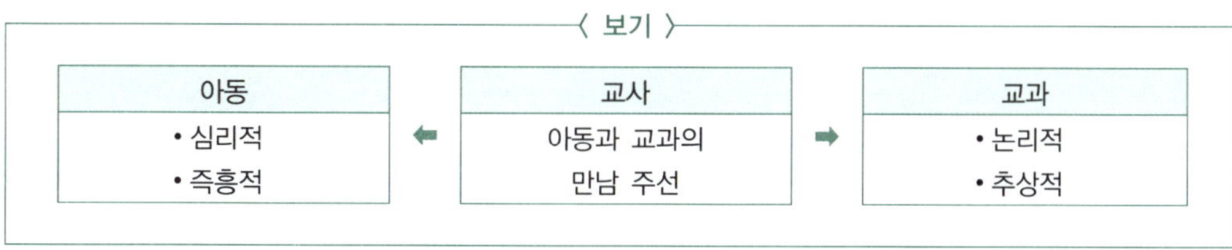

055 학습자를 중심으로 한 교육과정 ●●●

다음 내용을 참고하여 경험중심 교육과정의 내용조직 유형 중 최근에 강조되는 내용조직 유형의 명칭과 해당 유형의 장점과 단점 각 1가지(3점)

> 최근에는 국가에 의해 일방적으로 학습내용이 조직되는 방식에서 벗어나, 교사와 학생이 협력하여 함께 만들어가는 교육경험으로서 학습내용이 조직되는 것이 확대되고 있습니다.

056 학습자를 중심으로 한 교육과정 ●●○

경험중심 교육과정의 특징 4가지(4점)

057 학습자를 중심으로 한 교육과정

인간중심 교육과정의 교육목적 1가지, 이를 달성하기 위한 교육방법의 특징 3가지(4점)

058 사회를 중심으로 한 교육과정

생활적응 교육과정에서 강조하는 항상적 생활사태의 개념, 이를 중시하는 학습의 장점 2가지
(3점)

059 사회를 중심으로 한 교육과정　●○○

중핵 교육과정의 특징 2가지, 해당 특징과 관련한 장점 2가지(4점)

060 역량을 중심으로 한 교육과정　●●●

역량중심 교육과정에서 강조하는 역량의 의미, 행위주체성(Student Agency)의 세부 개념 요소
3가지(4점)

Chapter 04 교육과정의 개발

중요도 ○○○

061 전통적 교육과정 개발모형과 개선 ●●○

타일러(R. W. Tyler)가 제시한 합리적 교육과정 개발의 4가지 단계별 특징 1가지(4점)

062 전통적 교육과정 개발모형과 개선 ●○○

타일러(R. W. Tyler)의 합리적 교육과정 개발모형에서 임시적 교육목표를 설정할 때 활용하는 자원 3가지를 서로 다른 이유와 함께 제시(3점)

063 전통적 교육과정 개발모형과 개선

타일러(R. W. Tyler)의 합리적 교육과정 개발모형에서 임시적 교육목표를 구체적 목표로 정선할 때 활용하는 기준 2가지, 이렇게 설정된 구체적 목표에 포함될 2가지 요소(4점)

064 전통적 교육과정 개발모형과 개선

타일러(R. W. Tyler)가 합리적 교육과정 개발모형을 통해 제시한 학습경험 선정의 일반적 원칙
중 다음의 A 교사가 언급한 내용에 해당하는 원칙 3가지(3점)

> A 교사 : 이번 시간에는 환경문제에 대해서 토론해보는 수업을 진행하고자 해요. 학습목표로는
> "환경에 관한 자신의 입장을 논리 있게 말할 수 있다."를 설정하였고요. 이러한
> 목표달성을 위한 학습 주제로서 이제 막 중학교 1학년이 된 학생들을 위해 저탄소,
> 태양광 산업 등 너무 어렵거나 구체적인 문제로 내용을 선정하기보다는 학생들이
> 실제 경험하기 쉬운 일상 속 쓰레기 배출과 관련한 주제를 선정하였고, 토론 시에도
> 학생들의 수준을 고려한 보충 자료를 제공하려고 합니다. 이렇게 토론을 진행하다
> 보면 원래의 학습목표뿐만 아니라, 타인의 주장을 경청하는 능력, 상호작용하는
> 능력 등도 성취할 수 있을 것으로 기대되네요.

065 전통적 교육과정 개발모형과 개선

타일러(R. W. Tyler)가 합리적 교육과정 개발모형에서 학습경험 조직의 원칙으로 제시한 계속성,
계열성, 통합성 원칙의 의미와 각 원칙의 서로 다른 효과를 원칙별로 각 1가지(3점)

066 전통적 교육과정 개발모형과 개선 ●○○

다음에서 제시된 합리적 교육과정 개발모형의 특징을 고려했을 때 이 개발모형의 장점과 단점 각 2가지(4점)

> 타일러의 합리적 교육과정 개발모형에서는 학습목표를 강조하면서 목표는 사전에, 구체적인 행동목표로 진술할 것을 요구한다.

067 전통적 교육과정 개발모형과 개선 ●●●

타일러(R. W. Tyler)의 합리적 교육과정 개발모형과 비교되는 타바(H. Taba)의 단원개발 모형의 특징 4가지(4점)

068 **전통적 교육과정 개발모형과 개선**

다음 타바(H. Taba)의 단원개발 모형의 2단계에서 단원을 검증할 때 검증의 기준 3가지, 4단계의 명칭과 주요 활동 1가지(4점)

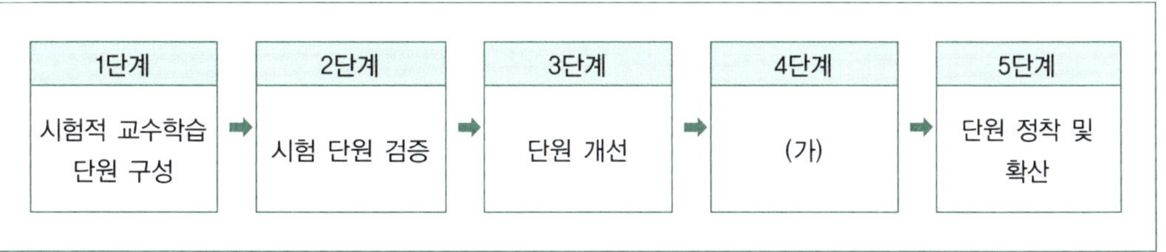

069 **전통적 교육과정 개발모형과 개선**

위긴스와 맥타이(G. Wiggins & J. McTighe)가 제시한 역행설계 모형에 따를 때 단계별 명칭과 단계별 주요 내용 1가지(3점)

070 전통적 교육과정 개발모형과 개선 ●●○

위긴스와 맥타이(G. Wiggins & J. McTighe)의 역행설계 모형에서 바람직한 교육결과로서
제시하는 영속적 이해의 특성 2가지, 이해의 6가지 측면 중 다음의 목표와 관련된 이해의 종류를
목표별로 1가지(4점)

> 목표 1: 윤동주의 '서시'에 담긴 저항적 의미와 자아성찰의 메시지를 이해한다.
>
> 목표 2: 차별 상황을 경험한 친구의 마음이 어떨지 헤아려 본다.

071 전통적 교육과정 개발모형과 개선 ●○○

다음을 참고할 때 평가계획 수립 시 고려해야 할 요소 2가지, 수업계획에 반영되어야 할 요소 2가지

(4점)

> 위긴스와 맥타이(G. Wiggins & J. McTighe)의 역행설계 모형에서는 목표를 설정하고 우선
> 평가계획을 수립할 것을 강조한다. 평가계획 수립 시에는 평가를 위한 수행과제를 개발하는데,
> 수행과제 개발의 단서로는 GRASPS 요소를 고려할 것을 제안한다. 평가계획 수립 이후에는
> 구체적 수업계획을 수립하는데, 이때는 WHERETO 요소를 고려할 것을 제안한다.

072 **대안적 개발모형**

워커(D. Walker)의 자연주의적 교육과정 개발모형에 근거할 때 다음의 (가)에 해당하는 단계의
명칭과 특징 1가지, 이러한 개발모형이 갖는 장점과 단점 각 1가지(4점)

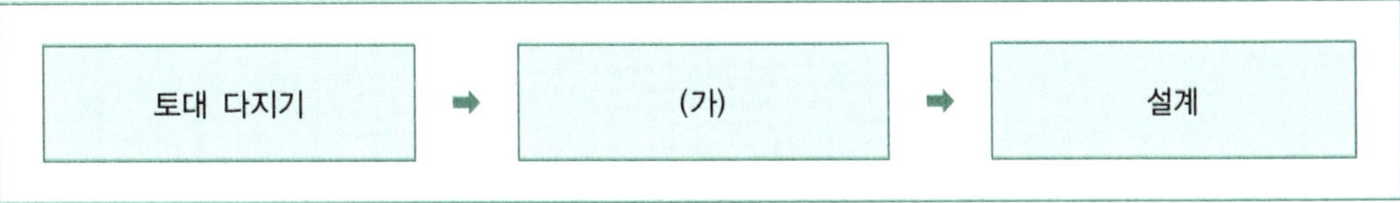

073 **대안적 개발모형**

아이즈너(E. W. Eisner)의 예술적 교육과정 개발모형에서 구체적 행동목표에 대한 대안으로서
제시한 목표 2가지, 교육과정 내용을 선정할 때 고려해야 하는 것 1가지(3점)

074 대안적 개발모형

아이즈너(E. W. Eisner)의 예술적 교육과정 개발모형에서 제시한 교육적 상상력의 개념, 교사가 교육적 상상력을 발휘했을 때의 교육적 효과 2가지(3점)

075 대안적 개발모형 ●○○

아이즈너(E. W. Eisner)의 예술적 교육과정 개발모형에 근거할 때 범교과학습을 위한 내용 조직 방식 2가지, 충분한 교육기회 부여를 위한 학습내용 제시 방식 2가지(4점)

076 대안적 개발모형 ●●○

아이즈너(E. W. Eisner)의 예술적 교육과정 개발모형에서 학습자를 제대로 평가하기 위해 교사에게 요구되는 능력 2가지, 이러한 능력을 발휘하는 평가 방식 1가지(3점)

077 대안적 개발모형

포스너(G. J. Posner)의 교육과정 분석모형에서 교육과정 분석의 틀로서 제시한 4가지 범주 설명(4점)

078 대안적 개발모형

교육과정 분권화의 개념, 교육과정 분권화가 필요한 이유 3가지(4점)

079 대안적 개발모형

국가 교육과정에서 제시된 성취기준의 개념, 교육과정 재구성 과정에서 성취기준을 재구조화 할 때 유의점 3가지(4점)

스킬벡(M. P. Skilbeck)의 학교중심 교육과정 개발모형(SBCD)에서 제시한 첫 번째 단계의 명칭, 해당 단계에서 분석하는 내용 2가지를 각 내용별 서로 다른 분석방법 1가지와 함께 제시(3점)

다음의 스킬벡(M. P. Skilbeck)의 학교중심 교육과정 개발모형(SBCD)에 따를 때 (가)에 해당하는 단계의 명칭과 이때 교육과정 개발자가 할 일 1가지, 이 모형의 의의과 한계 각 1가지(4점)

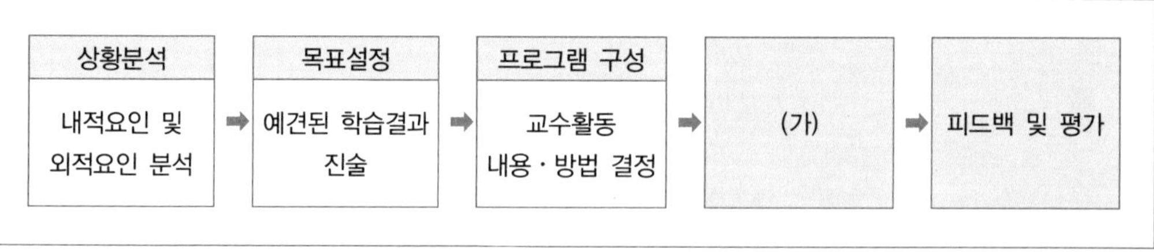

082 교육과정의 설계모형

교육과정 설계모형 중 내용모형, 목표모형, 과정모형에서 강조하는 교육내용을 모형별로 각 1가지(3점)

083 교육과정의 일반적 설계원리

그론룬드(N. E. Gronlund)가 구분한 교수목표 유형 2가지, 아래 제시된 요소 외에 교수목표에 들어갈 요소 2가지(4점)

> 그론룬드(N. E. Gronlund)는 학습목표에 학습자가 수행하여야 하는 구체적이고 관찰 가능한 행동 요소가 반영되어야 한다고 주장했다.

084 교육과정의 일반적 설계원리 ●●○

일반적 설계원리로서 제시문의 A 교사가 교육내용과 학습경험의 조직을 위해서 고려한 요소 1가지, 이러한 요소에 영향을 미치는 요인 3가지(4점)

> A 교사 : 실제 교육현장에서는 제한된 시간 등 현실적인 이유로 모든 내용을 가르칠 수 없어 꼭 필요한 내용을 중심으로 선택할 수밖에 없습니다. 예를 들어 관악기의 종류는 수없이 많지만 현실적으로 교육과정에서 선정하는 교육내용은 리코더, 그중에서도 소프라노 리코더를 선택하게 되는 것이죠.

085 교육과정의 일반적 설계원리 ●●●

학습내용의 수직적 조직원리 중 계속성의 개념, 계속성에 따라 내용을 조직했을 때 장점 1가지, 계열성의 개념, 계열성을 확보하기 위해 학습내용을 조직하는 구체적인 방법 1가지(4점)

086 교육과정의 일반적 설계원리 ●○○

교육내용의 조직원리 중 총체적 조직원리로서 연계의 개념, 구체적인 연계의 방법 2가지를 방법별로 서로 다른 효과와 함께 제시(3점)

087 교육과정의 일반적 설계원리 ●●○

교육내용의 조직원리 중 총체적 조직원리로서 균형의 개념과 장점 1가지, 학습내용의 균형을 확보하기 위한 내용 조직 방식 2가지(4점)

088 통합 교육과정 ●●●

드레이크(S. Drake)가 제시한 통합 교육과정의 설계 3요소, 통합 교육과정 운영원리 3가지(4점)

089 통합 교육과정　　　　　　　　　　　　　　　　　　　●○○

드레이크(S. Drake)가 제시한 통합 교육과정에서 3가지 통합 유형의 명칭과 유형별 특징 1가지
(3점)

090 통합 교육과정　　　　　　　　　　　　　　　　　　　●●○

통합 교육과정의 장점과 단점 각 2가지(4점)

091 통합 교육과정

통합 교육과정 운영의 성공 조건 4가지를 각각의 조건을 고려한 구체적 지원방안 1가지와 함께
제시(4점)

Chapter 05 · 교육과정의 운영 및 평가

중요도 ○○○

092 · 교육과정 운영

다음을 참고할 때 학교 교육과정 운영의 기본원리 3가지(3점)

> 학교 교육과정을 운영한다는 것은 학교와 교실에서 교육과정을 실천하는 과정을 의미한다.
> 교육과정을 운영할 때는 사회제도적 특성, 교육과정의 특성, 교원의 역할 등 다양한 측면을
> 고려할 필요가 있다.

093 · 교육과정 운영

●●○

**스나이더 등(Snyder et al.)의 교육과정 운영의 관점 분류에 따를 때 다음의 각 교사가 취하는
관점의 명칭과 각 관점별 교육과정 운영 시 장점 각 1가지(4점)**

> A 교사 : 교육과정은 공교육의 목적을 달성하기 위한 것입니다. 따라서 국가 교육과정에서
> 제시한 목표, 방법, 내용들을 최대한 그대로 이행하는 것이 필요합니다.
> B 교사 : 변화의 속도가 빠른 현대사회에서는 지역이나 학교마다 접하게 되는 사회의 모습이
> 다릅니다. 따라서 국가 교육과정은 기본적인 틀만 제공해주고 실제 운영은 교사가
> 자율적으로 하는 것이 바람직합니다.

094 교육과정 운영　●●○

교육과정 운영에 대한 스나이더 등(Snyder et al.)의 분류에 근거할 때 다음의 내용과 가장 관련 있는 관점의 명칭, 해당 관점에 따라 교육과정을 운영할 때 나타날 수 있는 장점과 단점을 학습자 측면에서 각 1가지(3점)

> A 교사 : 복합적인 지식이 중요시되는 현대사회에서는 교과 간의 구분 없이 문제나 쟁점을 중심으로 교육과정을 조직하고 운영하는 것이 중요합니다. 이때 학생들은 교사와 함께 핵심 개념 중심으로 학습내용을 선정하고, 그 내용을 탐구할 수 있는 방법을 함께 고민하고 수업에 참여할 수 있도록 하는 것이 중요합니다.

095 교육과정 운영　●○○

교육과정 운영에 관한 홀(G. E. Hall)의 모형에 근거할 때 새로운 교육과정의 실행 정도를 결정하는 요인 1가지, 교육과정 운영에 있어 발생하는 '교육과정 사소화 현상'의 개념, 이 모형이 주는 교육적 시사점 2가지(4점)

096 교육과정 운영

교육과정 운영에 관한 홀(G. E. Hall)의 모형에 근거할 때 해당 모형의 3단계와 4단계에 해당하는 관심 수준과 실행 수준의 특징을 단계별로 제시(4점)

097 목표중심 평가모형

교육 프로그램에 대한 평가 시 다음에 제시된 타일러(R. W. Tyler)의 평가모형이 갖는 장점과 단점 각 1가지, 목표의 명세화를 위한 구체적인 방법 1가지(3점)

> 타일러의 목표달성 평가모형에서는 명세적으로 작성한 교육 프로그램(교육과정)의 목표 달성 여부를 평가하는 데 초점을 둔다.

098 목표중심 평가모형

프로버스(M. Provus)의 불일치 평가모형에 근거할 때 불일치의 판단 기준, 해당 기준에 따를 때 〈보기〉에서 예체능 교육과정의 불일치 정도 설명, 이러한 불일치를 해결하기 위한 방안 1가지

(3점)

───〈 보기 〉───

○○학교는 예술중점학교 연구학교로서 다양한 통합 예체능 교육과정을 운영하였다. ○○학교는 이전 년도 전국 예술중점학교 학생 만족도조사 평균이었던 80점을 목표로 교육과정을 운영하였으나, 운영 결과 70점에 머물렀다. 예술중점학교 담당자인 A 교사는 문제점에 대해 혼자 고민해 보았지만 별다른 해결책을 찾을 수 없었다.

099 의사결정 평가모형

스터플빔(D. Stufflebeam)이 제시한 CIPP 모형의 목적과 평가자의 역할 각 1가지, 이 모형에 근거할 때 다음의 상황과 관련한 의사결정의 종류와 이때 필요한 평가 유형 각 1가지(4점)

○○중학교 A 교사는 새롭게 시작하는 학교 자율시간을 어떻게 운영해야 할지 고민하고 있다. 먼저 A 교사는 ○○중학교가 속한 지역, 학생들의 특성 등을 분석하여 이번 학교 자율시간 운영의 목표와 우선순위를 고려하고자 한다.

100 의사결정 평가모형

스터플빔(D. Stufflebeam)의 CIPP 모형에서 제시한 투입평가와 과정평가의 개념, 각각의 평가를 통해 나타나는 의사결정 유형(4점)

101 판단중심 평가모형

스크리븐(M. Scriven)이 제시한 탈목표평가의 개념, 탈목표평가의 특징 3가지(4점)

102 판단중심 평가모형

스크리븐(M. Scriven)이 제시한 탈목표평가의 교육적 의의와 한계 각 2가지(4점)

103 판단중심 평가모형

아이즈너(E. W. Eisner)의 예술적 비평모형에 근거할 때 교육비평의 개념, 교육비평의 3가지 유형(4점)

104 판단중심 평가모형

스테이크(R. Stake)의 종합실상모형에서 평가의 대상인 전체적 실상의 종류 3가지, 이 모형에 따를 때 프로그램 평가과정 설명(4점)

105 자연주의 평가모형

스테이크(R. Stake)가 제시한 반응적 평가모형의 평가내용과 평가방법 각 1가지, 이 모형에 따른 평가의 의의와 한계 각 1가지(4점)

Chapter 06 교육과정의 정책(우리나라 교육과정)

중요도 ○○○

106 2022 개정 교육과정 ●●●

2022 개정 교육과정의 비전, 해당 비전이 현대사회에서 중요한 이유 3가지(4점)

107 2022 개정 교육과정 ●○○

2022 개정 교육과정에서 추구하는 인간상 4가지(4점)

108 2022 개정 교육과정 ●●○

2022 개정 교육과정에서 제시하는 기초소양 3가지를 각각의 소양이 필요한 이유 1가지와 함께 제시(3점)

2022 개정 교육과정의 6대 핵심역량에 근거할 때 다음의 활동을 통해 길러지는 역량을 수업활동별로 각 1가지(4점)

A 교사는 다음 학기 학생들의 역량 함양을 위해 다음의 활동을 기획하고 있다.

① 자신이 원하는 직업과 이 직업을 얻기 위한 나만의 진로 학업 설계서 작성

② 우리 지역사회의 문제를 발굴하고 해결방안을 모색하는 개별 프로젝트 학습

③ 일상생활에서 실천할 수 있는 탄소배출 줄이기 캠페인

④ 보이텔스바흐 협약에 근거한 토의·토론 수업

2022 개정 교육과정에서 제시한 교과교육의 지향점 4가지(4점)

111 2022 개정 교육과정

학교 자율시간의 개념, 학교 자율시간 운영의 장점 2가지(3점)

112 2022 개정 교육과정

학교 자율시간의 시간편성 운영방식 3가지(3점)

113 2022 개정 교육과정

고교학점제의 개념, 고교학점제가 갖는 교육적 의의 3가지(4점)

114 2022 개정 교육과정 ●○○

고교학점제의 운영상 중점사항 3가지(3점)

115 2022 개정 교육과정

고교학점제 운영 시 발생할 수 있는 문제점 3가지(3점)

116 2022 개정 교육과정 ●○○

2022 개정 교육과정에 제시된 범교과 학습주제의 개념과 예시 1가지, 범교과 학습의 필요성 2가지(4점)

117 2022 개정 교육과정

2022 개정 교육과정에서 강조하는 교육과정-수업-평가-기록 일체화를 구성하는 요소 4가지 (4점)

118 2022 개정 교육과정

2022 개정 교육과정에서 말하는 성취기준의 기능 3가지(3점)

III

교육방법

중요도별 문제 일람표

Chapter	주제별	중요도별 문제 번호			
		●●●	●●○	●○○	–
교수학습 및 교육공학의 이해	교수학습의 기초(119~130)	125	119, 130	120, 121, 123, 124, 128, 129	122, 126, 127
	교육공학의 기초(131)				131
교수학습이론	교수학습 패러다임 변화(132~133)			133	132
	주요 교수학습이론(134~148)	139, 140, 147	137, 138, 145	135, 136, 141, 143, 144, 146	134, 142, 148
	구성주의 교수학습이론(149~174)	157, 158, 161, 165	150, 153, 155, 160, 163, 166, 168, 169, 172	151, 152, 154, 164, 174	149, 156, 159, 162, 167, 170, 171, 173
교수설계	교수설계의 기초(175~179)	179	178	175, 176, 177	
	교수설계이론(180~190)	188	183	181, 186, 187, 190	180, 182, 184, 185, 189
	다양한 교수설계모형(191~199)	194	193, 198	196, 197	191, 192, 195, 199
교수매체에 대한 이해	교수매체의 이해(200~205)			200	201, 202, 203, 204, 205
	교수매체의 선정(206~208)	207, 208	206		
교수학습 실행	교사중심의 교수학습방법(209~211)	211		210	209
	학습자중심의 교수학습방법(212~222)	213	216, 217, 219, 220	212, 215, 218, 221	214, 222
새로운 교수학습법	정보통신기술의 발전과 교육적 활용(223~228)	225, 227	224, 226, 228	223	
	새로운 교수학습방법(229~235)	231		230, 232, 234	229, 233, 235

Chapter 01 교수학습 및 교육공학의 이해

중요도 ○○○

---

119 교수학습의 기초   ●●○

라이겔루스(C. Reigeluth)가 제시한 교수학습의 3대 변인을 변인별로 설명(3점)

---

120 교수학습의 기초   ●○○

라이겔루스(C. Reigeluth)가 제시한 교수학습의 3대 변인 분류에 근거할 때 다음의 A 교사가
수업 설계 시 고려한 조건 변인 3가지(3점)

> A 교사 : 이번 시간에는 실시간 화상회의 프로그램을 통해 토의·토론 학습을 진행할 예정
> 이에요. 이를 위해 교과 교육과정상 제시되어 있는 학습목표를 확인하고, 학습자들의
> 선수학습 수준을 고려해서 모둠을 구성할 계획입니다. 그리고 학생들이 실시간 화상
> 회의 프로그램을 자신의 컴퓨터나 태블릿, 스마트폰에 설치했는지 미리 확인할 예정
> 이에요.

121 교수학습의 기초

라이겔루스(C. Reigeluth)가 제시한 방법 변인의 세부 전략 3가지(3점)

122 교수학습의 기초

라이겔루스(C. Reigeluth)가 제시한 교수학습의 3대 변인 중 방법 변인의 정의, 다음의 각 교사가 활용할 수 있는 내용 조직 전략을 교사별로 각 1가지(3점)

> A 교사 : 저는 이번 시간에 우리 주변에서 확인할 수 있는 수질 오염의 사례를 제시하고, 이를 해결하기 위한 방안을 모색하는 수업을 진행하려 합니다.
>
> B 교사 : 저는 이번 환경 오염에 관하여 수업을 하면서 환경 오염의 종류를 수질 오염, 생태계 파괴, 원전 폐기물 등 다양한 측면에서 논의하고 환경 오염에 관한 다양한 입장에 대해서 토론해보는 시간을 가지려 합니다.

123 교수학습의 기초

라이겔루스(C. Reigeluth)가 제시한 교수학습의 3대 변인 중 결과 변인의 구체적 종류 3가지(3점)

124 교수학습의 기초

교수학습의 일반적 절차를 준비–실행–평가로 나눌 때, 수업의 준비 단계에서 교사의 할 일 3가지 (3점)

125 교수학습의 기초

구체적 수업목표의 개념, 이러한 목표가 갖는 기능 3가지(4점)

126 교수학습의 기초

다음의 학습목표를 참고하여 수업 시작 전 교육목표를 진술할 때 교사의 유의점 3가지(3점)

> 학습목표 : ① 민주주의의 특징
> ② 민주주의를 다른 비교되는 이념(사회주의, 공산주의 등)과 비교하여 설명한다.
> ③ 민주주의의 사례를 친구들과 나누고, 바람직한 민주주의 모습에 대해 설명할 수 있다.

127 교수학습의 기초

목표설정에 대한 SMART 기법에 따를 때 목표를 구체적(Specific)으로 설정하는 것 외에 다른 목표설정 원칙 4가지(4점)

다음의 A 교사가 출발점행동 진단 시 활용할 수 있는 구체적 진단방법 3가지(3점)

> A 교사 : 학습자 맞춤형 교육을 위해서는 우선 학습자를 정확히 이해하는 것이 중요합니다. 학습자들의 가정환경과 건강상태를 확인하는 것은 물론, 학습자의 선수학습 수준, 학습에 대한 학습자의 흥미를 종합적으로 진단하고 분석하는 것이 학습자 맞춤형 교육의 시작입니다.

주제별 계열화의 장점과 단점 각 1가지, 나선형 계열화의 장점과 단점 각 1가지(4점)

130 교수학습의 기초

수업 시작 후 도입 단계에서 교사의 역할 3가지(3점)

131 교육공학의 기초

교육공학의 5가지 영역, 다음과 같이 교육공학을 정의하는 경우 밑줄 친 ㉠의 의미와 중요성 1가지(3점)

> 교육공학의 정의 : 적절한 공학적 과정 및 자원을 창출, 활용, 관리함으로써 학습을 촉진하고
> 수행을 개선하는 연구와 ㉠윤리적 실천(미국 교육공학회, 2008)

Chapter 02 교수학습이론

중요도 ○○○

132 교수학습 패러다임의 변화

다음을 보고 교수학습에 관한 과거 전통적 패러다임의 특징을 교수학습 방법, 평가 측면에서 각 1가지, 이러한 패러다임에 따른 교육의 문제점 2가지(4점)

> 과거의 전통적 패러다임에서는 불변의 지식에 접근할 수 있는 권한이 교사에게만 주어졌다. 따라서 교사는 지식을 학습자들이 잘 이해할 수 있도록 선정·조직하여 가장 효과적인 방법을 통해 전달하는 것이 핵심이었고, 평가는 교수학습의 결과로서 지식을 잘 습득했는지 여부에 초점을 두었다.

133 교수학습 패러다임의 변화

●○○

다음을 참고하여 교수학습에 관한 공학적 패러다임의 특징 2가지, 이때 교사와 학생의 역할 각 1가지(4점)

> 정보통신 기술의 발전으로 지식 베이스에 교사뿐 아니라 학생도 자유롭게 접근할 수 있게 되면서 교육의 공간이 단지 교실에 머물지 않게 되었다. 또한, 지식을 수동적으로 습득하기 바빴던 과거와 달리, 학습자들은 스스로 자신에게 필요한 지식을 탐구하고 나아가 새로운 지식을 창출하게 되었다.

134 주요 교수학습이론

스키너(B. F. Skinner)가 제시한 프로그램 교수법의 개념, 이 교수법의 학습원리 3가지(4점)

135 주요 교수학습이론

스키너(B. F. Skinner)의 프로그램 교수법에서 분류한 프로그램 유형 중 다음에서 제시한 유형의 명칭, 이 유형의 장점과 단점 각 1가지(3점)

> 요즘 들어 학습자 맞춤형 교육을 위해 다양한 AI 교육 프로그램이 제작·활용되고 있다. 초급 형태의 AI 교육 프로그램은 학습자의 수준에 따라 다른 난이도의 학습과제를 순차적으로 제공하는 형태인데, 학습자가 문제를 맞히면 좀 더 어려운 문항이 제시되고 문제를 틀리면 좀 더 쉬운 문항이 제시된다. 학습자의 학습 이력을 AI가 관리하면서 지속적으로 학습자 수준에 맞는 과제를 제시하는 것이다.

캐롤(J. Carroll)의 학교학습모형도에 근거할 때 학습에 사용한 시간에 영향을 미치는 변인 2가지, 제시문의 A 교사가 언급한 변인 외에 학습에 필요한 시간에 영향을 미치는 변인 2가지 (4점)

A 교사 : 학습의 정도는 학습에 필요한 시간 대비 학습에 사용한 시간이라 할 수 있어요. 저는 학습에 필요한 시간을 측정하기 위해 우선 자기장학을 통해 제가 어떤 수업을 하는지 살펴볼 예정이에요.

블룸(B. Bloom)이 제시한 완전학습(Mastery Learning)의 의미, 다음에서 제시된 것 외에 수업의 질을 결정하는 변인 3가지(4점)

블룸(B. Bloom)은 세상에서 어떤 사람이 학습할 수 있는 학습내용의 경우 적절한 학습조건만 제공되면 거의 모든 사람이 학습할 수 있다고 가정하면서 완전학습(Mastery Learning)을 강조하였다. 그는 수업의 질이 기본적으로 학습과정에서 교사가 제공하는 정보의 질로 결정된다고 보면서 추가적인 변인들을 제시하였다.

138 주요 교수학습이론 ●●○

오수벨(D. Ausubel)이 언급한 유의미학습(Meaningful Learning)이 나타나기 위한 학습
과제의 특성 2가지, 학습자의 특성 2가지(4점)

139 주요 교수학습이론 ●●●

오수벨(D. Ausubel)이 제시한 선행조직자(Advance Organizer)의 개념, 선행조직자의
유형 2가지(3점)

140 주요 교수학습이론 ●●●

오수벨(D. Ausubel)이 제시한 선행조직자(Advance Organizer)의 기능 3가지(3점)

141 주요 교수학습이론 ●○○

오수벨(D. Ausubel)이 제시한 포섭(Subsumption)의 의미, 포섭의 종류 중 하위적 포섭의 세부
유형 2가지(3점)

142 주요 교수학습이론

오수벨(D. Ausubel)의 유의미학습이론에서 제시하는 교수원리 4가지(4점)

143 주요 교수학습이론 ●○○

브루너(J. Bruner)가 제시한 발견학습의 목적 1가지, 발견학습의 장점 2가지와 단점 1가지를
학습자 측면에서 제시(4점)

144 주요 교수학습이론 ●○○

브루너(J. Bruner)가 제시한 발견학습의 수업 요소 4가지(4점)

145 주요 교수학습이론 ●●○

오수벨(D. Ausubel)의 유의미학습이론과 브루너(J. Bruner)의 발견학습이론의 차이점을
교육목표, 교수학습 방법, 교사의 역할 측면에서 각 1가지(3점)

146 주요 교수학습이론 ●○○

켈러(J. Keller)의 ARCS 이론에서 주의집중(Attention)을 유도하기 위한 교수전략 3가지(3점)

켈러(J. Keller)의 ARCS 이론에 근거하여 다음의 상황에서 A 학생의 학습동기가 떨어지는 이유
1가지, A 학생의 학습동기를 유발하는 구체적인 방법 3가지(4점)

> A 학생은 고등학교에 와서 처음으로 독일어를 접했다. 영어는 잘하지만 처음 배우는 독일어가
> 발음도 어렵고, 명사의 성(性)에 따라 관사가 변화하는 것이 너무나 어렵다고 느끼고 있다.

켈러(J. Keller)의 ARCS 이론에 근거할 때 다음의 교수전략이 ARCS 중 어떤 요소와 관련이
있는지 3가지 설명(3점)

> B 교사는 독일어 학습에 낮은 학습동기를 갖는 A 학생에게 영어실력이 상향 평준화되고
> 있는 상황에서 독일어를 통해 세계 일류 기업에 취업한 사례를 보여주면서 동기를 자극하였다.
> 또한 발음에 어려움을 겪는 A 학생을 위해 수업이 끝난 시점마다 A 학생의 발음을 녹음하였고,
> 한 달이 지났을 때 수업 초기 발음과 이후의 발음을 비교해서 들려주면서 A 학생이 성장했음을
> 알려주었다. 이후 A 학생 스스로 독일어 학습계획서를 작성하게 하였다.

149 구성주의 교수학습이론

구성주의는 객관주의를 바탕으로 하는 전통적인 교수학습 모형에 대한 비판으로 등장하였다.
구성주의와 객관주의의 차이점을 지식관, 교육목적, 교육방법 측면에서 각 1가지(3점)

150 구성주의 교수학습이론 ●●○

구성주의를 견지하는 교수 · 학습이론들의 공통된 특징 3가지(3점)

151 구성주의 교수학습이론 ●○○

구성주의를 인지적 접근방법과 사회적 접근방법으로 구분할 때, 각 접근방법별 특징 2가지를
학습과정과 교사의 역할 측면에서 제시(4점)

152 구성주의 교수학습이론 ●○○

조나센(D. Jonassen)의 구성주의 학습환경 설계에 따를 때 문제해결을 위해 활용하는 자원 2가지, 문제해결을 위한 도구 2가지(4점)

153 구성주의 교수학습이론 ●●○

조나센(D. Jonassen)의 구성주의 학습환경 설계에 따를 때 교사의 역할 3가지(3점)

154 구성주의 교수학습이론 ●○○

조나센(D. Jonassen)의 구성주의 학습환경 설계에 따를 때 학습자의 역할 3가지(3점)

155 구성주의 교수학습이론

다음을 참고했을 때 배로우즈(H. Barrows)의 문제중심학습(Problem Based Learning)에서 다루는 과제의 특성 4가지(4점)

> 배로우즈(H. Barrows)는 환자의 질환을 확인하고 그에 맞는 처방을 하는 것이 의대 교육의 중심이 되어야 함에도 실제로는 지나치게 암기중심으로 운영되는 것을 비판하면서 문제중심학습을 제시하였다. 실전에서 마주하는 환자의 질환은 분명하게 나타나지 않는 경우가 많아 의료진이 이를 스스로 이해하고 정의해야 하고, 정확한 처방을 위해서는 다수 의료진 간의 활발한 토의가 필요한데, 기존의 교육은 의대 학생들에게 단순 암기만을 강조하여 학생들이 지루함만 느끼고 동기부여도 안 된다고 비판한 것이다.

156 구성주의 교수학습이론

다음의 내용을 참고하여 문제중심학습(PBL)의 장점과 단점 각 2가지(4점)

> 문제중심학습은 실생활과 관련한 문제와 자료를 제공하고, 그 문제를 이해하고 해결방안을 마련하는 데 있어서 학습자의 주도적인 역할을 무엇보다 강조한다.

프로젝트 학습법의 개념, 프로젝트 학습법을 통해 길러지는 학습자의 역량 3가지를 2022 개정 교육과정의 핵심 역량을 통해 설명(4점)

프로젝트 학습법의 절차로서 다음의 (가)와 (나)에 해당하는 내용을 제시하고, (가)와 (나)에서 교사의 역할 각 1가지(4점)

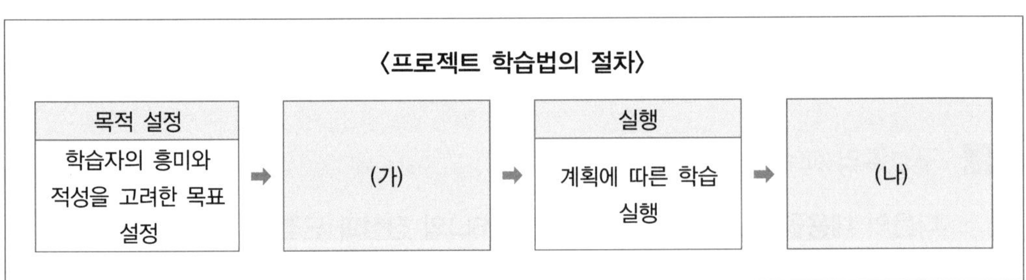

159 구성주의 교수학습이론

레이브와 웽거(J. Lave & E. Wenger)가 제시한 상황학습이론의 특징 3가지, 상황학습이론을 수업에서 적용할 때 교사의 역할 1가지(4점)

160 구성주의 교수학습이론

다음 제시문에서 A 교사가 활용한 앵커(Anchor)의 의미, 이러한 교수학습 방법의 장점 2가지를 학습자 측면에서 제시(3점)

중학교에서 수학을 가르치는 A 교사는 자신의 학교에 소위 '수포자'가 많다는 사실을 인지하였다. 학생들과 상담한 결과 대부분의 학생들이 수학은 실제 생활과 관련이 없고 매번 문제만 푸는 것이 수학을 포기하게 만든 이유라는 것을 인식하였다. 이에 A 교사는 여행 도중 사막에서 길을 잃은 가상의 사례를 앵커(Anchor)로 활용하면서 목적지까지의 거리, 이동수단, 연료, 시간당 필요한 물의 양 등을 자원으로 제시하고 시간 내에 목적지까지 가는 방법을 계산하도록 하였다. 그리고 이런 문제를 영상을 통해 제시하였다.

161 구성주의 교수학습이론 ●●●

맥락정착적 교수이론(Anchored Instruction)에서 강조하는 효과적 앵커의 특성 3가지(3점)

162 구성주의 교수학습이론

자원기반학습의 필요성 1가지, 자원기반학습을 통해 획득하는 기능 3가지(4점)

163 구성주의 교수학습이론 ●●○

교과서를 제외하고 수업에서 활용할 수 있는 학습자원의 종류 4가지(4점)

164 구성주의 교수학습이론 ●○○

다음을 참고하여 자원기반학습의 장점과 단점 각 2가지(4점)

> 자원기반학습에서는 교과서뿐만 아니라 다양한 자원을 활용하는데, 이때 교사가 자원을 직접 제시하기보다는 학습자 스스로가 인터넷 등 다양한 정보원을 통해 학습에 필요한 정보를 탐색하고 정보를 재가공하는 데 초점을 둔다.

165 구성주의 교수학습이론 ●●●

아이젠버그(M. Eisenberg) 등의 Big 6 Skills 모형에 따를 때 다음 (가) 단계의 명칭과 이때 작용하는 인지능력의 명칭, 이 단계에서의 구체적인 학습활동과 교사의 역할 각 1가지(4점)

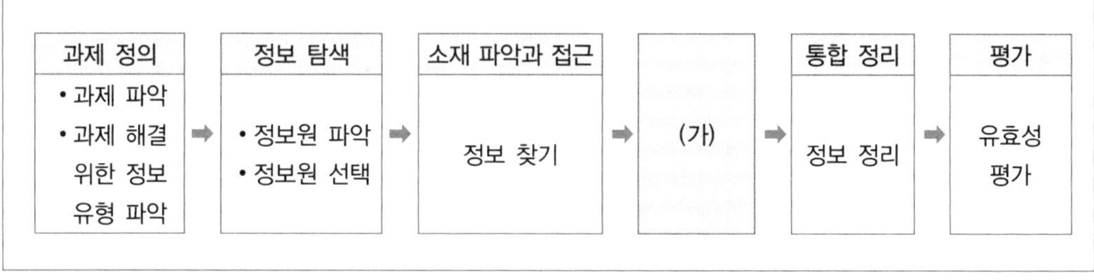

166 구성주의 교수학습이론　●●○

스피로(R. Spiro)가 제시한 인지적 유연성의 의미, 인지적 유연성을 함양하기 위해 인지구조 속에 형성되어야 하는 것의 명칭, 인지적 유연성이론의 특징을 학습방법과 학습내용의 측면에서 각 1가지(4점)

167 구성주의 교수학습이론

인지적 유연성을 형성시키기 위한 학습원리 3가지(3점)

168 구성주의 교수학습이론　●●○

인지적 유연성이론에 따른 수업의 장점을 학습자의 인지적 측면과 정의적 측면에서 각 2가지
(4점)

169 구성주의 교수학습이론

인지적 도제이론에 근거한 수업의 목적, 이 이론에서 제시하는 절차 중 다음의 2단계와 3단계에서 교사의 역할을 단계별로 1가지(3점)

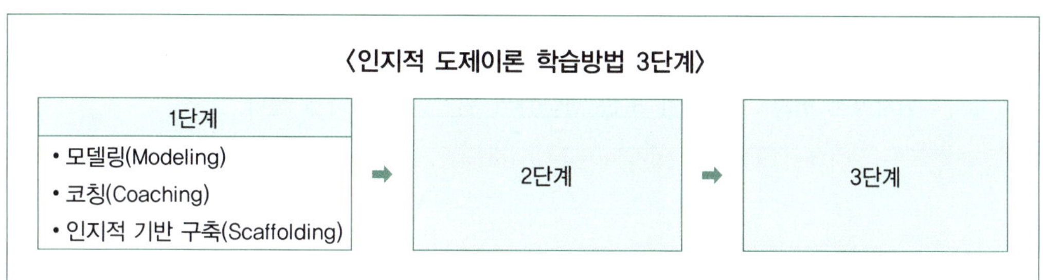

170 구성주의 교수학습이론

인지적 도제이론에 근거한 수업의 장점과 단점 각 2가지(4점)

171 구성주의 교수학습이론

실천공동체이론에 근거할 때 실천공동체의 개념, 다음 내용에서 밑줄 친 ㉠에 해당하는 것의 명칭, 이 이론이 갖는 교육적 의의 2가지(4점)

> 장인(교사 또는 우수학습자)과의 상호작용 속에서 초보자(학습자)는 단순한 관찰자, 주변인의 위치에서 점차 ㉠실천가 또는 전문가의 위치로 이동하게 된다.

172 구성주의 교수학습이론 ●●○

상보적 교수이론를 적용한 수업에서 반드시 활용해야 하는 교수전략 4가지(4점)

173 구성주의 교수학습이론

다음을 참고하여 상보적 교수이론의 장점과 단점 각 2가지(4점)

> 상보적 교수이론에서는 우수한 학습자를 학생교사로 선정하여 우수한 학습자와 다른 학습자의 상호작용(대화·소통)을 통한 학습을 강조한다. 특히 텍스트를 읽고 이해하고 요약하는 것에 중점을 둔다.

174 구성주의 교수학습이론

다음의 밑줄 친 내용을 참고하여 목표기반 시나리오(Goal-Based Scenarios) 이론의 구성요소 3가지(3점)

> 목표기반 시나리오는 특정 목표를 중심으로 설정된 상황(시나리오)에 학습자를 배치하여 학습을 진행한다. 따라서 목표를 명확하게 진술해야 하고, 목표를 설정하기 위해 수행해야 하는 과제를 제시해야 한다. 이는 또한 해당 과제와 관련한 상황 맥락을 이야기 형식으로 설명한다. 한편, 학습자가 과제를 해결하는 과정에서 어려움을 겪는 경우 교사는 적절한 도움을 제공한다.

Chapter 03 교수설계

중요도 ○○○

175 교수설계의 기초 ●○○

교수설계에 있어서 체제적 접근의 의미 1가지, 체제적 접근의 효과성 3가지(4점)

176 교수설계의 기초 ●○○

일반적 교수설계모형(ISD)에 따를 때 교수설계의 일반적 단계별 명칭과 특징 1가지(4점)

177 교수설계의 기초 ●○○

교수설계 단계 중 분석 단계에서 실시하는 요구분석의 개념과 목적 1가지, 구체적인 요구분석 기법 2가지(4점)

178 교수설계의 기초

과제분석의 개념과 목적 1가지, 제시문에서 각 교사가 제시한 학습과제를 분석하기 위한 구체적인 방법 1가지를 교사별로 제시(4점)

> A 교사 : 고려시대의 사찰이라는 학습과제의 학습을 위해서 우선 사찰의 명칭과 사찰이 속한 지역의 명칭을 연결하였습니다.
>
> B 교사 : 고려시대 불교의 사회적·정치적 영향력을 학습하기 위해서 학생들의 학습 수준을 기본적인 사실 이해, 사실의 적용, 분석, 종합 평가로 단계별로 구분하였고 이에 맞는 학습과제가 무엇인지 분류하였습니다.

179 교수설계의 기초

다음에서 언급한 내적 특성과 외적 특성의 종류 각 2가지(4점)

> 학습자 맞춤형 교육을 위해서는 학습자가 가지고 있는 내적 특성을 이해하고, 학습자에게 영향을 미치는 외적 특성을 이해해야 합니다.

180 교수설계이론

다음에서 언급한 학습의 결과로서 형성된 능력 중 가네(R. M. Gagné)가 가장 강조한 능력의
명칭과 그 의미, 해당 능력의 특징 1가지(3점)

가네(R. M. Gagné)는 학습자의 학습을 촉진하기 위해 학습자가 갖는 내적 조건을 이해하고
이에 맞는 외적 조건을 제공해야 한다고 본다. 그러면서 학습의 결과로서 형성된 능력을
5가지로 분류하였다.

181 교수설계이론

가네(R. M. Gagné)의 학습위계이론에 근거할 때 수업을 통해 형성되는 인지전략의 개념,
인지전략이 중요한 이유 1가지, 다음의 A 학생이 활용한 인지전략의 유형 2가지(4점)

A 학생은 세계 각국의 수도와 국기를 학습하고자 하였다. 먼저 세계 각국을 대륙별로 구분
하였고 아시아와 유럽·아프리카는 동서, 아메리카는 남북으로 세분화한 뒤 거기에 맞게 나라
들을 배치하였다. 이후 지역별로 국가의 명칭, 수도, 국기를 표로 정리하였고 반복해서
암기하였다.

182 교수설계이론

가네(R. M. Gagné)의 교수설계이론에서 제시한 외적 조건의 의미, 외적 조건의 적용 원리 3가지(4점)

183 교수설계이론

가네(R. M. Gagné)의 교수설계이론에 근거할 때 다음의 밑줄 친 부분과 관련하여 수업 전개 단계에서 실시할 수 있는 외적 수업사태 3가지(3점)

> A 교사 : 수업 효과를 극대화하기 위해 수업 중 교사는 학습자료를 제시하는 것에만 그치는 것이 아니라 학습자료가 학습자의 장기기억에 저장될 수 있도록 해야 하고 학습자료에 대한 학습자의 내적인 반응을 유도할 수 있어야 합니다. 그리고 학습이 강화될 수 있도록 지원해야 할 것입니다.

184 교수설계이론

라이겔루스(C. M. Reigeluth)의 정교화이론에서 제시하는 정교화 조직모형 3가지(3점)

185 교수설계이론

라이겔루스(C. M. Reigeluth)의 정교화이론에 근거할 때 다음의 A 교사가 실시한 정교화 전략 2가지, 이러한 전략의 효과를 전략별로 각 1가지(4점)

> A 교사 : 복잡한 학습내용을 가르치기 위해 예전에 배웠던 내용과 연결시켰고, 마인드맵을 활용하였어요.

186 교수설계이론 

라이겔루스(C. M. Reigeluth)가 제시한 개념학습의 교수원리 3가지(3점)

187 교수설계이론 

라이겔루스(C. M. Reigeluth)가 제시한 개념학습의 구체적 교수·학습활동 3가지(3점)

188 교수설계이론 

라이겔루스(C. M. Reigeluth)의 정교화이론과 비교되는 메릴(M. D. Merrill)의 내용요소제시이론의 특징 1가지를 학습내용 측면에서 제시, 메릴이 제시한 내용-수행 행렬표에서 내용 수준과 수행 수준 설명(3점)

189 ◀ 교수설계이론

메릴(M. D. Merrill)의 내용요소제시이론에 근거할 때 1차 자료 제시형의 유형 4가지(4점)

190 ◀ 교수설계이론 ●○○

메릴(M. D. Merrill)의 내용요소제시이론에 근거할 때 2차 자료 제시형의 의미, 2차 자료 제시형의 유형 3가지를 유형별 서로 다른 교육적 효과 1가지와 함께 제시(4점)

191 ◀ 다양한 교수설계모형

글레이져(R. Glaser)의 교수설계모형에 따를 때 4가지 단계의 명칭과 단계별 주요 내용 1가지
(4점)

192 다양한 교수설계모형

교수설계에 관한 애디(ADDIE) 모형의 설계 단계에 반영할 내용 2가지, 평가 단계의 의미와
평가내용 1가지(4점)

193 다양한 교수설계모형

교수설계에 관한 딕과 캐리(W. Dick & L. Carey) 모형에 근거할 때 성취목표 진술 이전에 해야
할 일 3가지(3점)

194 다양한 교수설계모형

교수설계에 관한 딕과 캐리(W. Dick & L. Carey) 모형에서 교수분석 단계의 의미, 교수분석 단계
에서의 분석내용 2가지(3점)

195 다양한 교수설계모형

교수설계에 관한 딕과 캐리(W. Dick & L. Carey) 모형에서 성취목표를 진술할 때 지켜야 하는 기본원칙 1가지, 목표에 반영되어야 하는 요소 3가지(4점)

196 다양한 교수설계모형

교수설계에 관한 딕과 캐리(W. Dick & L. Carey) 모형에서 교수전략을 개발할 때 전략 영역 3가지(3점)

197 다양한 교수설계모형

교수설계에 관한 딕과 캐리(W. Dick & L. Carey) 모형에서 형성평가의 의미와 목적 1가지, 구체적 형성평가 방법 2가지(4점)

198 다양한 교수설계모형 

쾌속설계모형(RPISD)의 특징 2가지, 해당 모형에 따른 교수설계 방식의 장점 2가지(4점)

199 다양한 교수설계모형

윌리스(J. Willis)의 R2D2 모형의 주요 특징 2가지, 수업 설계 시 3가지 초점(3점)

Chapter 04　교수매체에 대한 이해

중요도 ○○○

200　교수매체의 이해 ●○○

수업에서 교수매체를 활용했을 때 교육적 효과 2가지, 수업에서 교수매체 활용 중 발생할 수 있는 문제점 2가지(4점)

201　교수매체의 이해

다음에서 제시한 두 가지 연구방법의 개념과 한계 각 1가지를 연구방법별로 제시(4점)

> 교수매체 활용수업이 효과적인가를 다루는 다양한 연구방법이 있는데, 교수매체 비교연구와 교수매체 속성연구가 대표적이다.

202 교수매체의 이해

교수매체 유형에 대한 맥루한(M. McLuhan)의 분류에 근거할 때 매체를 유형화하는 기준 2가지,
그가 제시한 핫 매체(Hot Media)와 쿨 매체(Cool Media)의 특징 1가지를 매체별로 제시(4점)

203 교수매체의 이해

벌로(D. Berlo)의 SMCR 모형에 근거할 때 송ㆍ수신자가 주고받는 메시지에 영향을 주는
주관적 요인 2가지, 메시지에 포함된 세부 요인 중 다음에서 확인할 수 있는 요인 2가지(4점)

> 보건교사인 A는 오늘 '심정지 환자를 살리는 골든타임의 중요성'에 대해 수업을 할 예정이다.
> A 교사는 '현장 안전 확인 → 의식 확인 → 119 신고 → 가슴압박 30회 → 인공호흡 2회'라는
> 절차에 따라 학생들이 해야 할 일을 상세하게 안내할 예정이다.

204 교수매체의 이해

쉐넌과 쉬람(C. Shannon & W. Schramm)의 커뮤니케이션 모형에서 제시하는 경험의 장의
의미, 수업에서 교사·학생 간 소통에 영향을 미치는 소음(Noise)의 종류 3가지(4점)

205 교수매체의 이해

다음의 내용과 관련하여 튜터(Tutor)로서 교수매체가 갖는 장점과 단점 각 1가지, 튜티(Tutee)
로서 교수매체의 특징 2가지(4점)

> 과거에도 교수매체를 활용한 수업은 있었다. 과거 교수매체는 주로 교육용 소프트웨어를
> 활용하여 교사의 수업을 대체·보완하는 튜터(Tutor)로서 활용되었다. 최근에는 AI 등 에듀
> 테크(EduTech)의 발전으로 튜티(Tutee)로서 교수매체를 활용한 수업이 발전하고 있다.

206 교수매체의 선정

하인니히(R. Heinich) 외 ASSURE 모형에 근거할 때 목표진술 이후 단계별 명칭과 특징 1가지
(4점)

207 교수매체의 선정

하인니히(R. Heinich) 외 ASSURE 모형에 근거할 때 교수매체 선정의 기준 2가지, 자료 선정의
기준 2가지(4점)

208 교수매체의 선정

하인니히(R. Heinich) 외 ASSURE 모형에 근거할 때 학습경험을 제공하는 것 외에 매체 및
자료활용 단계에서 구체적 활동 2가지, 학습자 참여를 유도하기 위한 방법 2가지(4점)

Chapter 05 교수학습 실행

중요도 ○○○

209 교사중심의 교수학습방법

강의식 수업의 장점과 단점 각 2가지(4점)

210 교사중심의 교수학습방법

●○○

다음의 내용을 참고하여 강의식 수업과 비교되는 문답식 수업의 장점 2가지, 학생에게 할 수 있는 질문의 유형 2가지를 서로 다른 기능 1가지와 함께 제시(4점)

> A 교사 : 현실적 여건상 강의식 수업을 배제할 수는 없습니다. 다만 강의 중에 적절한 문답을 통해 강의식의 한계를 극복할 수 있죠. 특히 설명만 해서 따분하다거나, 지식의 암기만을 강조한다는 한계를 극복한다는 측면에서 문답식 수업의 장점을 찾아볼 수 있습니다.

211 교사중심의 교수학습방법 ●●●

다음에서 A 교사가 언급한 질문수업 방식을 적용할 때 교사가 지켜야 할 원칙 2가지, 이 수업
방식 외에 활용할 수 있는 새로운 질문수업의 유형 2가지를 유형별 서로 다른 기능 1가지와 함께
제시(4점)

> A 교사 : 저는 수업 중에 제가 학생들에게 질문하는 수업방식을 자주 사용하곤 합니다. 그런데
> 수업을 하다 보면 학생들이 틀릴까봐 머뭇거리거나, 특정 학생만 답을 하는 경우를
> 자주 볼 수 있어요.

212 학습자중심의 교수학습방법 ●○○

토의·토론식 수업 유형 중 다음의 각 교사가 활용하려는 수업의 명칭과 장점 1가지를 교사별로
제시(4점)

> A 교사 : 30명의 학급을 3개의 집단으로 나눈 후, 각 집단이 동그랗게 모여 앉아 전원이
> 상호 대등한 관계 속에서 의견을 나누도록 할 예정입니다.
> B 교사 : 저는 소규모의 학생들이 주제에 대해 짧은 시간 동안 자신의 생각을 자유롭게 이야기
> 하도록 할 예정입니다.

213 학습자중심의 교수학습방법

토의 · 토론식 수업을 통해 길러지는 학습자 역량 2가지, 토의 · 토론식 수업의 성공 조건 2가지

(4점)

214 학습자중심의 교수학습방법

다음을 참고하여 과거의 단순 소집단 학습과 비교되는 현대의 협동학습 특징 3가지(3점)

> 과거에도 학생들을 소집단으로 편성해 학습활동을 진행하였습니다. 그러나 모둠으로만 구성되어 있는 형태였지 실질적인 협력이 일어나지 않았고, 일부 학생만 학습을 주도하는 문제가 있었습니다.

215 학습자중심의 교수학습방법　●○○

다음에서 각 교사가 활용하려는 협동학습의 명칭과 장점 1가지를 교사별로 제시(4점)

> A 교사 : 학습과제에 대해 소집단 활동을 하고 쪽지시험을 볼 예정입니다. 이번 쪽지시험의 결과와 이전에 봤던 쪽지시험 결과를 비교하여 개인의 향상 점수를 산출하고, 이것을 집단 점수로 환산하여 우수 팀을 선정할 예정입니다.
>
> B 교사 : 저는 쪽지시험 대신 게임을 실시할 예정이에요. 특히 집단별로 수준이 비슷한 학생들끼리 모여서 게임에 참여하고 개별 점수가 부여되면, 그것을 팀 내 점수로 환산하여 우수 팀을 선정할 것입니다.

216 학습자중심의 교수학습방법　●●○

기존의 JIGSAW Ⅰ 모형을 다음과 같이 변형하였을 때 장점 3가지(3점)

> 〈변형된 JIGSAW〉
>
> ① 소집단에서 각자 담당할 전문 영역을 선정한다.
> ② 집단별 전문가끼리 모여서 전문 영역에 대해 학습한다.
> ③ 전문가들을 대상으로 학습 정도를 간단하게 평가한다.
> ④ 소집단으로 돌아가 집단 구성원들에게 전문 영역에 대해 코칭한다.
> ⑤ 전체 학습내용을 정리하고 요약한다.
> ⑥ 평가를 실시하여 개별 향상 점수를 산출한다.
> ⑦ 개별 향상 점수를 팀 점수로 환산하여 집단 보상한다.

217 학습자중심의 교수학습방법 ●●○

자율적 협동학습 모형(Co-op, Co-op)의 특징 3가지(3점)

218 학습자중심의 교수학습방법 ●○○

협동학습에서 발생할 수 있는 부정적 효과 3가지(3점)

219 학습자중심의 교수학습방법 ●●○

켈러(F. Keller)가 제시한 개별화 교수체제(PSI)의 특징 3가지(3점)

220 학습자중심의 교수학습방법　●●○

자기주도학습의 개념, 자기주도학습의 장점 2가지, 단점 1가지(4점)

221 학습자중심의 교수학습방법　●○○

다음의 절차를 따르는 교수학습방법의 교육적 효과 2가지, (가)에 해당하는 단계의 특징과 교사의 역할 각 1가지(4점)

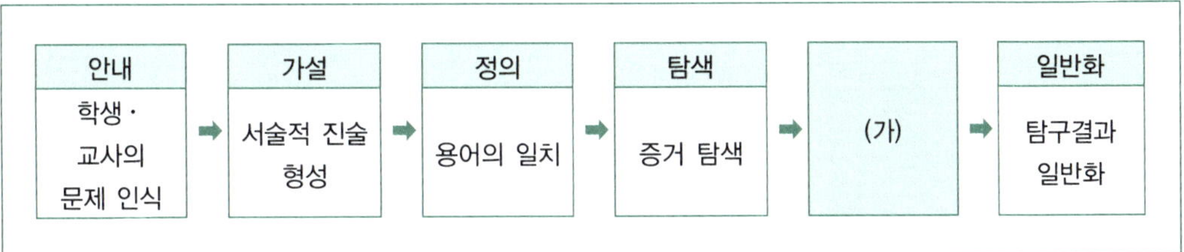

222 학습자중심의 교수학습방법

개념기반 탐구학습의 특징 2가지, 개념기반 탐구학습의 장점 2가지(4점)

Chapter 06 — 디지털 대전환시대 새로운 교수학습법

중요도 ○○○

223 정보통신기술의 발전과 교육적 활용 ●○○

컴퓨터 보조학습(CAI)의 장점 2가지를 학습자 측면에서 제시, 이 학습의 구체적 유형 2가지

(4점)

224 정보통신기술의 발전과 교육적 활용 ●●○

다음에서 설명하는 교수학습 방법의 명칭, 이 교수학습 방법의 교육적 효과 2가지(3점)

> 이 교수학습 방법은 온라인상의 학습자들이 직접 기존 자료를 수정하고 공유하면서 공동의
> 지식을 만드는 수업방식이다.

225 정보통신기술의 발전과 교육적 활용 ●●●

디지털 리터러시(Digital Literacy)의 개념 요소 3가지, 디지털 리터러시가 중요한 이유 1가지
(4점)

226 정보통신기술의 발전과 교육적 활용 ●●○

학습관리시스템(LMS)의 개념, 학습관리시스템의 교육적 기능 3가지(4점)

227 정보통신기술의 발전과 교육적 활용 ●●●

AI 교육의 유형 3가지를 유형별 서로 다른 기능 1가지와 함께 제시(3점)

228 정보통신기술의 발전과 교육적 활용　　●●○

다음과 같은 수업의 교육적 효과 2가지, 이러한 수업에서 발생할 수 있는 문제점 2가지(4점)

> A 교사는 학생이 작성한 프롬프트(Prompt)를 바탕으로 텍스트, 이미지, 코드 등을 스스로 생성할 수 있는 AI를 학습의 도구로 활용하는 수업을 실시하고자 한다.

229 새로운 교수학습방법

다음에서 언급된 원격수업의 유형 3가지를 유형별 서로 다른 기능 1가지와 함께 제시(3점)

> 2020년 교육부는 초·중등 교육 분야의 원활한 수업 진행과 등교수업이 불가능한 상황에서 수업시수 확보를 위해 원격수업 유형을 3가지로 분류하였다.

230 새로운 교수학습방법 ●○○

다음의 교수학습 절차로 이루어지는 수업방식의 명칭, 이 수업방식의 장점 2가지, 단점 1가지 (4점)

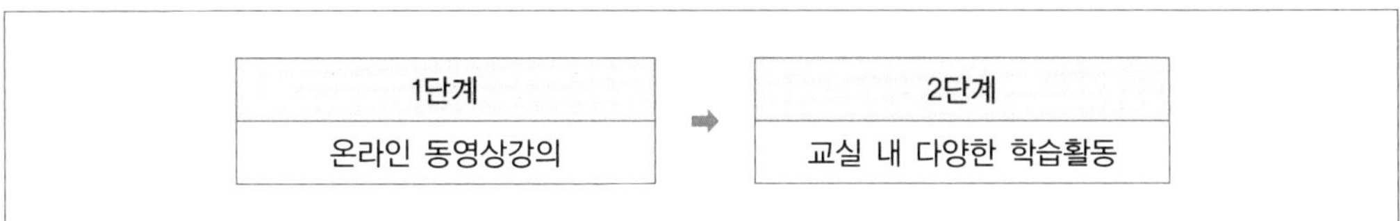

231 새로운 교수학습방법 ●●●

버지(Z. Berge)가 분류한 온라인 학습환경에서 교사의 역할 4가지(4점)

게이미피케이션(Gamification) 교육에서 포함되어야 하는 게임적 요소 3가지(3점)

하브루타(Havruta) 수업의 개념, 이 수업의 장점 2가지를 학습자 측면에서 제시(3점)

234 새로운 교수학습방법

샤프텔(F. Shaftel)이 제시한 역할놀이(Role-Play) 수업모형의 특징 2가지, 역할놀이 수업을 통해 길러지는 학습자의 역량 2가지(4점)

235 새로운 교수학습방법

다음에서 설명하는 수업방식의 명칭, 구체적 운영형태 2가지(3점)

학습자 맞춤형 교육을 실현하거나 교과 간 통합적 내용을 다루기 위해 다양한 교육적 시도가 이뤄지고 있다. 최근에는 한 명의 교사가 하나의 수업을 담당해야 한다는 관점에서 벗어나, 여러 명의 교사가 협력해서 한 수업시간에 같이 들어가는 수업방식도 필요하다는 입장이 나타나고 있다.

IV

교육평가 및 교육연구방법론

중요도별 문제 일람표

Chapter	주제별	중요도별 문제 번호			
		●●●	●●○	●○○	–
교육평가의 이해	교육평가의 기초(236~240)	240		238	236, 237, 239
	교육평가의 운영(241~242)			242	241
교육평가의 유형	기본적인 분류(243)				243
	진행과정에 따른 분류(244~246)	245, 246	244		
	참조준거에 따른 분류(247~251)		248	247, 249, 250	251
	평가영역에 따른 분류(252)		252		
	기타 평가 유형(253~256)	253	254	255	256
교육평가의 선정과 활용	문항 제작(257~261)	260		258, 259	257, 261
	문항 분석(262~263)				262, 263
	검사점수 보고와 해석(264)				264
	검사의 양호도 분석(265~274)	266, 269	265, 267, 271, 273	268, 270	272, 274
컴퓨터화 검사와 수행평가	컴퓨터를 활용한 평가(275~276)	276			275
	학습 수행과정 및 활동에 대한 평가(277~285)	281, 282, 284	278, 279, 285	280, 283	277
교육연구방법론	교육연구의 유형(286)				286
	교육연구의 과정(287~289)			288, 289	287
	연구의 타당성(290~291)			290, 291	

Chapter 01 교육평가의 이해

중요도 ○○○

236 교육평가의 기초

교육평가를 바라보는 관점 중 다음의 내용과 가장 관련 깊은 관점의 명칭, 이 관점에 근거한 평가 방법의 장점과 단점 각 1가지(3점)

> 학습의 결과는 양적으로 수치화할 수 있을 때 의미가 있습니다. 평가는 학생의 지식 수준, 기술 수준, 태도, 행동 등을 정량적으로 측정하여 교육과정과 교육 프로그램의 효과성을 평가하는 것입니다.

237 교육평가의 기초

스티븐스(S. Stevens)가 분류한 척도(Scale)의 종류 4가지(4점)

238 교육평가의 기초

교육평가의 관점 중 총평관에 근거한 평가의 특징을 평가내용과 평가방법 측면에서 각 1가지,
교육평가의 관점 중 평가관의 의미와 평가관에서 교육에 대한 기본 가정 1가지(4점)

239 교육평가의 기초

다음의 두 교사가 갖고 있는 교육관의 명칭과 해당 교육관에 부합하는 교육평가 방법의 장점
1가지를 교사별로 제시(4점)

A 교사 : 우수한 학생을 선발하여 이 학생들을 사회의 인재로 키우는 것이 바람직합니다.
B 교사 : 교육을 통해 누구나 목표를 달성할 수 있습니다.

240 교육평가의 기초

다음에 제시된 3가지 평가 유형의 유형별 목적 각 1가지(3점)

교육의 목적이 다변화하면서 평가 패러다임 또한 변화하고 있다. 얼(L. Earl)은 과거의 학습에 대한 평가(Assessment of Learning)에서 최근에는 학습을 위한 평가(Assessment for Learning)와 학습으로서의 평가(Assessment as Learning)로 변화하고 있다고 제시한다.

241 교육평가의 운영

다음 제시문과 관련하여 교육평가 운영 시 지켜야 할 원칙 3가지(3점)

2022 개정 교육과정에서는 교육을 통해 다양한 역량을 함양할 것을 제시한다. 이는 성취기준에 맞게 교육하는 것을 강조하면서도, 결과적으로 목표달성도만을 확인하기보다는 학생의 성장과정에 좀 더 초점을 둘 것을 강조한다. 이에 따라 평가 역시 이러한 강조점을 반영하여 이루어지도록 운영 원칙을 제시하고 있다.

242 교육평가의 운영

평가의 오류와 관련하여 다음에 제시된 상황에서 발생한 오류의 명칭과, 이를 예방하기 위한 서로 다른 방안을 상황별로 1가지(4점)

> 상황 1 : 음악교사 A는 가창 시험에서 탁월한 성적을 거둔 준현이가 음악감상문 작성도 잘 했을 것이라 판단하여 음악감상문 시험에서 A를 부여하였다.
>
> 상황 2 : 국어교사 B는 지각을 한번도 한 적이 없고 교사에게 인사를 잘 하는 영수가 평소에 성실하니까 수필 쓰기 시험도 성실하게 수행했을 것이라 판단하여 수필 쓰기 시험에서 최고점을 부여하였다.

Chapter 02 교육평가의 유형

중요도 ○○○

243 기본적인 분류

평가를 기본적으로 분류할 때 양적 평가와 질적 평가의 개념, 학교에서 질적 평가가 필요한
이유 2가지(4점)

244 진행과정에 따른 분류

●●○

진단평가의 목적과 내용 각 1가지, 진단평가 중 인지 진단평가(Cognitive Diagnostic
Assessment)의 특징 2가지(4점)

245 진행과정에 따른 분류

평가를 실시 시기에 따라 분류할 때 다음과 관련된 평가의 명칭, 이 평가방식을 수업에서 적용하는 방법 2가지(3점)

> 이 평가는 교수학습 진행 중에 평가를 실시하는데, 주로 학생이 학습을 잘 따라오고 있는지 확인하고 보충해주는 목적으로 사용한다. 이때 형식적·비형식적 방법을 모두 활용한다.

246 진행과정에 따른 분류

해티와 팀펄리(J. Hattie & H. Timperley)가 제시한 피드백(Feedback)의 3요소, 그들의 분류에 근거할 때 다음에서 제시한 피드백 유형의 명칭, 해당 피드백의 교육적 효과 2가지(4점)

> A 교사는 글쓰기 과제에서 학생이 작성한 문장이 어색함을 인식하였다. A 교사는 학생에게 "네가 쓴 글을 소리 내어 읽어볼래? 읽다가 숨이 차거나 어색한 부분이 있는지 스스로 느껴보자."라고 피드백을 주었다.

247 참조준거에 따른 분류 ●○○

규준참조평가의 개념, 규준참조평가가 학습자에게 미치는 긍정적 영향 1가지, 부정적 영향 2가지(4점)

248 참조준거에 따른 분류 ●●○

다음에서 언급된 준거참조평가의 특징과 관련하여 준거참조평가가 갖는 장점과 단점 각 2가지
(4점)

> 준거참조평가는 최저기준을 목표로 설정하고, 평가를 통해 그 목표가 달성되었는지 그렇지 않은지와 관련한 직접적인 정보를 학생과 교사에게 제공해준다. 따라서 학습자들 사이의 상대적 위치에는 관심이 없으며, 평가결과 역시 학습자를 선발하는 데 활용하지 않는다.

249 참조준거에 따른 분류

준거점수 설정 방법 중 다음의 A 교사가 활용한 방법의 명칭, 이 방법의 장점 2가지, 단점 1가지 (4점)

> 고등학교 1학년 영어를 담당하는 A 교사는 학습지원 대상학생을 가려내기 위해 평가를 실시하고자 한다. 우선 통과점수(Cut Score)를 정하기 위해 동 교과교사인 B, C와 함께 턱걸이로 합격할 학생의 수준을 정의하였고, 그들이 문제를 맞힐 확률이 얼마나 될까 예측하였다. 이후 교사들의 예측치를 모두 더해 평균을 냈고 그 결과로 통과점수를 설정하였다.

250 참조준거에 따른 분류

다음의 A 교사가 활용한 평가방식의 명칭, 이 평가방식의 의의와 한계 각 1가지(3점)

> A 교사는 평소에 100점 받을 실력이 되는데 90점을 받은 지우에 비해, 80점의 실력이지만 85점을 받은 지안이를 높게 평가하였다.

251 참조준거에 따른 분류

성장참조평가와 노력참조평가의 개념과 서로 다른 장점 1가지를 평가방식별로 제시(4점)

252 평가영역에 따른 유형 ●●○

학습자 평가 시, 정의적 영역에 대한 평가가 필요한 이유 2가지, 평가대상인 정의적 영역의 종류 2가지(4점)

253 기타 평가 유형 ●●●

학생이 주체가 되는 평가방법 2가지, 해당 평가방법의 교육적 효과를 방법별로 각 1가지(4점)

254 기타 평가 유형 ●●○

학생이 주체가 되는 평가 시 발생 가능한 문제점 2가지, 이를 예방하기 위한 교사의 실천방안 2가지(4점)

255 기타 평가 유형 ●○○

역동적 평가(Dynamic Assessment)의 개념과 교육적 의의 1가지, 역동적 평가의 유형 2가지(4점)

256 기타 평가 유형

메타평가(Meta Evaluation)의 개념, 메타평가의 종류 3가지(4점)

Chapter 03 교육평가의 선정과 활용

중요도 ○○○

257 문항 제작

학습자를 평가할 문항을 제작하기 전 교사의 준비사항 3가지(3점)

258 문항 제작　●○○

학습자 평가를 위한 문항 제작 시 교사가 지켜야 할 원칙 3가지(3점)

259 문항 제작　●○○

그론룬드(N. E. Gronlund)가 제시한 좋은 문항 제작에 장애가 되는 요인 3가지(3점)

260 문항 제작

이원목적분류표의 개념, 이원목적분류표의 2가지 구성요소, 학생 평가 시 이원목적분류표를 작성할 때의 긍정적 효과 2가지(4점)

261 문항 제작

선다형 문항을 통한 평가의 장점과 단점 각 2가지(4점)

262 문항 분석

고전검사이론에서의 문항난이도와 문항변별도의 개념, 고전검사이론의 단점 2가지(4점)

263 문항 분석

다음 그림을 참고하여 문항반응이론에서의 문항난이도와 문항변별도, 문항추측도를 구하는
방법 각 1가지(3점)

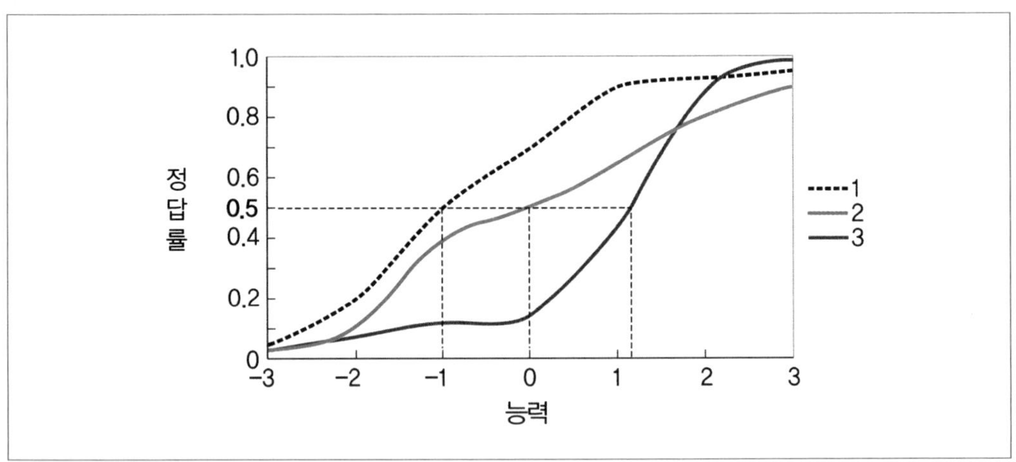

264 검사점수 보고와 해석

다음 상황에서 Z점수와 T점수, 백분위(3점)

100점 만점인 시험에서 피험자는 70점을 받았다. 이때 평균은 60점, 표준편차는 10이다. 이
시험은 정상분포를 이루고 있다고 가정한다.

265 검사의 양호도 분석

내용타당도의 개념, 내용타당도의 2가지 종류, 내용타당도의 확보방안 1가지(4점)

266 검사의 양호도 분석

구인타당도의 개념, 학생 평가 시 구인타당도 확보의 필요성 1가지, 구인타당도를 확보하는 방법
1가지(3점)

267 검사의 양호도 분석

다음 제시문에서 A 교사가 검증하고자 하는 타당도의 명칭, 이때 타당도를 검증하는 기준 1가지,
이러한 기준을 활용할 때 장점과 단점 1가지(4점)

> 역사 교사인 A 교사는 학내에서 활용될 새로운 「기초 역사 소양 테스트」를 만들었다. 이 테스트의
> 타당도를 검증하기 위해 학생들에게 먼저 한국사능력검정시험을 풀게 하였고, 그 결과와
> 자신이 만든 「기초 역사 소양 테스트」의 결과를 비교하였다.

268 검사의 양호도 분석　●○○

검사도구의 타당성을 판단하는 기준으로서 예측타당도의 개념, 예측타당도로 타당성을 판단할 때 의의와 한계 각 1가지(3점)

269 검사의 양호도 분석　●●●

검사도구의 타당성을 판단하는 기준으로서 결과타당도의 개념, 다음 제시문과 관련하여 현재 학교에서 운영되는 수행평가가 결과타당도가 낮다고 평가받는 이유 3가지(4점)

> 최근 학교에서 실시하는 수행평가에 대해 학생, 학부모의 불만이 커지면서 수행평가 폐지를 주장하는 글이 국민청원 게시판에 올라오기도 하였다. 일부 학계에서는 수행평가가 내용타당도 측면에서 이점이 있을지 모르나, 현재의 운영방식은 결과타당도 측면에서 많은 문제점을 지닌다고 지적하고 있다.

270 검사의 양호도 분석

신뢰도가 높은 평가의 특징 1가지, 다음의 A 교사가 실시한 방식을 통해 추정한 신뢰도의 명칭, 이 방식의 장점과 단점 각 1가지(4점)

> A 교사는 동일한 검사를 동일한 피험자 집단에 일정 시간 간격을 두고 두 번 실시하여 얻은 점수의 상관계수를 통해 신뢰도를 측정하였다.

271 검사의 양호도 분석

동형검사를 통해 신뢰도를 추정하는 경우 동형검사의 조건 2가지, 이러한 추정방식의 장점과 단점 각 1가지(4점)

272 검사의 양호도 분석

신뢰도를 다음과 같은 공식으로 계산할 때 신뢰도에 영향을 미치는 요인 4가지를 서로 다른 이유 1가지와 함께 제시(4점)

$$\text{신뢰도}(\rho_{XX'}) = 1 - \frac{\text{오차점수의 분산}\,(\delta_E^2)}{\text{관찰점수의 분산}\,(\delta_\chi^2)}$$

273 검사의 양호도 분석

검사의 양호도로서 객관도의 개념, 객관도의 유형 2가지, 객관도 확보방안 1가지(4점)

274 검사의 양호도 분석

검사의 양호도로서 실용도의 개념, 실용도를 판단한 때 판단의 기준 3가지(4점)

Chapter 04 컴퓨터화 검사와 수행평가

중요도 ○○○

275 컴퓨터를 활용한 평가

다음과 관련한 평가의 명칭, 해당 평가방식의 장점 2가지, 단점 1가지(4점)

> 이 평가는 기존의 선형적 평가방식이 아니라 학습자의 응답에 따라 다음 문제가 변화하는 평가이다. 문제를 맞히면 더 어려운 문항이, 문제를 틀리면 좀 더 쉬운 문항이 제시되는 형태가 많이 활용된다.

276 컴퓨터를 활용한 평가

●●●

중간·기말고사와 같은 전통적인 지필평가와 다른 에듀테크 기반 평가의 특징 4가지(4점)

277 학습 수행과정 및 활동에 대한 평가

전통적인 지필평가와 대안적인 수행평가의 차이점을 학습관, 학습자관, 평가내용 측면에서 각 1가지(3점)

278 학습 수행과정 및 활동에 대한 평가

수행평가의 개념, 수행평가의 특징 3가지(4점)

279 학습 수행과정 및 활동에 대한 평가

루브릭(Rubric)의 개념, 수행평가 시 루브릭의 긍정적 효과 3가지(4점)

280 학습 수행과정 및 활동에 대한 평가　●○○

수행평가의 장점과 단점 각 2가지(4점)

281 학습 수행과정 및 활동에 대한 평가　●●●

과정중심평가의 개념, 과정중심평가의 기능 2가지(3점)

282 학습 수행과정 및 활동에 대한 평가　●●●

결과중심평가와 비교되는 과정중심평가의 특징 2가지, 이로 인한 장점 2가지(4점)

283 학습 수행과정 및 활동에 대한 평가　●○○

다음과 관련한 평가방식의 명칭, 이 평가방식의 장점 2가지, 단점 1가지(4점)

> 개인의 작업이나 작품을 모아둔 자료집이나 서류철을 가지고 평가하는 방식

284 학습 수행과정 및 활동에 대한 평가　●●●

논·서술형 평가의 개념, 논·서술형 평가의 장점 3가지(4점)

285 학습 수행과정 및 활동에 대한 평가　●●○

다음의 A 교사가 실시하려는 채점방법의 명칭, 이 방법의 장점 2가지, 단점 1가지(4점)

> A 교사는 이번 논·서술형 평가에서 채점 요소를 세분화하기보다는 학생의 수행 정도를
> 종합하여 점수를 부여하려고 한다.

Chapter 05   교육연구방법론

중요도 ○○○

286   교육연구의 유형

양적 연구와 질적 연구의 특징 1가지, 교육현장에서 양적 연구와 질적 연구가 필요한 이유 각 1가지(4점)

287   교육연구의 과정

다음의 A 교사가 활용한 자료수집 방법의 명칭, 해당 방법의 장점 2가지, 단점 1가지(4점)

> A 교사는 자신의 학급 경영에 관한 학부모 만족도를 조사하기 위해 10개의 문항을 작성하고 종례 시간에 학생들에게 나눠주었다.

288 교육연구의 과정

다음의 A 교사가 활용한 연구방법의 명칭, 학교에서 해당 방법을 적용했을 때 의의 1가지, 한계 2가지(4점)

> A 교사는 새로 맡은 학급의 학생들을 이해하기 위해 학생들에게 질문지를 나눠주었다. 질문지에는 학급 내에서 가장 친한 학생이 누구인지를 쓰게 하였다. A 교사는 이를 토대로 교실 내 학생 관계도를 그림으로 표현하였다.

289 교육연구의 과정

어떤 특성의 정도나 수준을 변별하는 방법으로 다양한 평정법이 활용되는데, 다음에서 각 교사가 활용한 평정법의 명칭과 이 평정법의 장점을 교사별로 각 1가지(4점)

> ○○고등학교에서는 자체 교원평가를 진행하고자 한다. A 교사는 자신의 수업에 대한 만족도 조사를 실시하며 다음과 같이 질문지를 구성하였다.
>
> **Q1. 선생님의 설명은 명확한가요?**
>
> | ① 매우 그렇다. | ② 그렇다. | ③ 보통이다. | ④ 그렇지 않다. | ⑤ 매우 그렇지 않다. |
> | --- | --- | --- | --- | --- |
>
> B 교사는 교사에 대해 학생이 갖는 주관적 느낌을 측정하기 위해 다음과 같이 질문지를 구성하였다.
>
> **Q1. 선생님에 대한 느낌은 어떠한가요?**
>
> | 친절하다. | – | – | – | – | – | – | – | 불친절하다. |
> | --- | --- | --- | --- | --- | --- | --- | --- | --- |
> | 재미있다. | – | – | – | – | – | – | – | 재미있지 않다. |

290 연구의 타당성 ●○○

연구의 내적 타당도의 개념, 내적 타당도를 위협하는 요인 3가지(4점)

291 연구의 타당성 ●○○

연구의 외적 타당도의 개념, 외적 타당도를 위협하는 요인 3가지(4점)

V

교육심리 및 생활지도·상담

중요도별 문제 일람표

Chapter	주제별	중요도별 문제 번호			
		●●●	●●○	●○○	—
학습자에 대한 이해	지능(292~296)	292	295, 296	294	293
	창의성(297~302)	297	301, 302	298, 299	300
	자기주도성(303~304)		304	303	
	학습자의 개인차(305~308)			305, 306	307, 308
학습자의 동기	동기의 기초(309~311)	310			309, 311
	행동주의 동기이론(312)				312
	인본주의 동기이론(313)				313
	인지주의 동기이론(314~323)	316, 318, 319	314, 315, 317, 321	322, 323	320
학습자의 발달	발달에 대한 이해(324)		324		
	인지적 영역의 발달(325~328)		327, 328	325, 326	
	성격 발달(329~331)	331	330		329
	사회성 발달(332~334)	334		333	332
	도덕성 발달(335~336)			335	336
교수학습의 이해	행동주의 학습이론(337~344)		340, 342, 344	339, 341	337, 338, 343
	인지주의 학습이론(345~351)	348, 349	351	346	345, 347, 350
	효과적인 교수(352)	352			
생활지도 및 상담	생활지도와 진로지도의 기본적 이해(353~354)			354	353
	생활지도이론(355)			355	
	생활지도의 실제(356)		356		
	학생상담(357)				357

Chapter 01 학습자에 대한 이해

중요도 ○○○

292 지능 ●●●

드웩(C. Dweck)의 암묵적 지능이론에 근거할 때 다음의 A 학생이 가지고 있는 지능에 대한 관점의 명칭, 이러한 관점을 가진 학생의 특징 3가지(4점)

> A 학생은 지능이 학습을 통해 변화하지 않는다고 생각한다.

293 지능

스피어만(C. Spearman)의 지능이론에 따른 지능의 구성요인 2가지, 지능에 대한 카텔 (R. Cattell)의 분류에 따를 때 지능의 유형 2가지(4점)

294 지능 

가드너(H. Gardner)의 다중지능이론에 따를 때 지능의 개념, 다음 제시문에서 각 학생이
가진 강점 지능의 명칭(4점)

> 학생 A는 4개 국어를 자유자재로 사용할 수 있으며, 최근에는 스페인어를 새롭게 배우고 있다.
>
> 학생 B는 다른 학생들이 어떤 어려움을 겪는지, 어떤 욕구가 있는지 빠르게 판단할 수 있다.
>
> 학생 C는 자신이 어떤 감정을 가지고 있는지 잘 이해하고, 감정 조절에 능숙하다.

295 지능

스턴버그(R. Sternberg)의 삼원지능이론에서 언급하는 지능의 3가지 종류를 지능별 구성요소와
함께 제시(3점)

296 지능 ●●○

감성 지능의 개념, 골만(D. Goleman)이 제시한 감성 지능의 구성요소 중 다음에서 제시된 요소 외의 요소 3가지(4점)

> 감성 지능에는 다양한 요소들이 있다고 분석되는데, 골만(D. Goleman)에 따르면 타인의 감정을 자신의 감정처럼 느끼는 것, 타인의 감정에 효과적으로 대처하여 원활한 대인관계를 생성하고 유지하는 것 외에도 다양한 요소들이 있다.

297 창의성 ●●●

창의성의 특성을 인지적 측면과 정의적 측면에서 각 2가지(4점)

298 창의성 ●○○

월러스(G. Wallas)가 제시한 4단계 창의적 사고과정을 단계별로 설명(4점)

299 창의성 ●○○

칙센트미하이(M. Csikszentmihalyi)가 창의성 체계 모델에서 제시한 창의성 연구의 3가지 영역, 그가 제시한 몰입(Flow)의 개념, 학습에 몰입했을 때 특징과 몰입을 유발하는 요소 각 1가지 (4점)

300 창의성

로즈(M. Rhodes)가 제시한 학습자의 창의성을 검사하는 영역 4가지(4점)

301 창의성 ●●○

창의성 함양방법 중 다음과 가장 관련 있는 방법의 명칭, 이 방법을 적용할 때 준수해야 하는 원칙 3가지(4점)

> 어떤 주제에 대해서 이질적인 구성원 6~7명이 30~40분간 자유롭게 토의하면서 새로운 아이디어를 산출하는 방법을 의미한다.

302 창의성 ●●○

다음의 각 교사가 활용하는 창의성 함양방법의 명칭과 각 방법의 장점 1가지(4점)

> A 교사 : 학생들이 서로 다른 6가지 색깔의 모자를 쓰고 각 색깔에 맞는 사고 유형을 자유롭게 표현하도록 할 것입니다.
> B 교사 : 유추를 통해 친숙한 것을 새롭게 보도록 할 것입니다.

303 ◀ 자기주도성 ●○○

자기주도성의 개념, 자기주도성이 중요한 이유를 개인적 측면과 사회적 측면에서 각 1가지
(3점)

304 ◀ 자기주도성 ●●○

학습자의 자기주도성을 함양하기 위한 수업전략 3가지(3점)

305 ◀ 학습자의 개인차 ●○○

학습자의 학습양식에 관한 위트킨(H. Witkin)의 분류에 따를 때 장독립형과 장의존형 학습자의
특징을 유형별로 각 2가지(4점)

306 학습자의 개인차　　　●○○

콜브(D. Kolb)가 학습자의 학습유형을 구분할 때 사용한 기준 2가지, 이 기준에 따를 때 제시문의 각 학생에 부합하는 학습유형의 명칭(4점)

> A 학생은 강의를 조용히 듣고 필기하며, 체계적인 이론 수업을 가장 선호한다. 반면, B 학생은 새로운 상황에 잘 적응하며 친구들과 어울려 활동하는 것을 좋아한다.

307 학습자의 개인차

사회경제적 지위(Socio-Economic Status; SES)의 개념, 사회경제적 지위가 학생의 학습에 미치는 영향 2가지(3점)

308 학습자의 개인차

영재를 판별할 때 사용할 수 있는 기준 1가지, 영재교육의 방법으로서 속진학습과 심화학습의 장점 각 1가지(3점)

Chapter 02 학습자의 동기

중요도 ○○○

309 동기의 기초

학습 동기의 기능 3가지(3점)

310 동기의 기초 ●●●

교육에서 외재적 동기와 내재적 동기의 개념과 중요성 각 1가지(4점)

311 동기의 기초

불안(Anxiety)의 유형 중 다음의 A 학생이 갖고 있는 불안 유형의 명칭, 이러한 불안이 갖는 순기능과 역기능 각 1가지(3점)

> A 학생 : 저는 시험 보는 것 자체는 어렵지 않아요. 그런데 이상하게 수학 과목, 특히 도형 문제는 긴장되고 어렵다고 느껴져요.

312 행동주의 동기이론

헐(C. Hull)의 행동주의 동기이론에 따를 때 행동의 강도를 결정짓는 2가지 요소, 행동주의 동기이론의 의의와 한계 각 1가지(4점)

313 인본주의 동기이론

매슬로우(A. Maslow)의 욕구위계이론에 따를 때 성장욕구와 결핍욕구의 차이점 1가지,
다음의 A학생과 B 학생 각각에게 결핍되어 있는 욕구의 명칭, 이러한 욕구위계이론의 한계
1가지(4점)

> A 학생 : 나는 친구들을 많이 사귀고 싶은데, 어떻게 사귀어야 하는지 잘 모르겠어. 나도 친구
> 들과 놀이동산에 가고 싶어.
> B 학생 : 나는 친구들 앞에서 인정받는 것을 좋아해. 언제나 발표도 잘하고 싶고 공부에서도
> 1등을 하고 싶어.

314 인지주의 동기이론

와이너(B. Weiner)의 귀인이론에서 제시하는 귀인 분석의 3가지 기준, 이 기준에 근거했을 때
제시문의 각 학생이 실패의 원인으로 지목한 것 분석(3점)

> A 학생 : 난 엄청 열심히 공부하려고 했는데, 지난주에 이사 온 우리 윗집이 너무나 큰 층간소음을
> 일으켜서 공부에 하나도 집중을 못했어. 그래서 이번 시험을 망친 거야.
> B 학생 : 난 문해력이 남들에 비해 부족해. 그래서 이번 시험을 망쳤어.

315 인지주의 동기이론 ●●○

반두라(A. Bandura)가 제시한 자아효능감의 개념, 자아효능감이 높은 학생의 특징 3가지(4점)

316 인지주의 동기이론 ●●●

반두라(A. Bandura)가 제시한 자아효능감에 영향을 미치는 요인 4가지(4점)

317 인지주의 동기이론 ●●○

데시와 라이언(E. Deci & R. Ryan)의 자기결정성이론에 근거할 때 동기가 유발되기 위해서 충족되어야 하는 기본 욕구 3가지(3점)

318 인지주의 동기이론 ●●●

데시와 라이언(E. Deci & R. Ryan)의 유기체적 통합이론에 근거할 때 외재적 동기의 4가지 유형(4점)

319 인지주의 동기이론 ●●●

데시와 라이언(E. Deci & R. Ryan)의 인지적 평가이론에서 제시하는 보상의 두 가지 측면, 각각의 보상이 학습자의 학습 동기에 미치는 영향 1가지(4점)

320 인지주의 동기이론

코빙턴(M. Covington)의 자기가치이론에서 제시하는 자기가치의 의미, 자기장애 전략의 의미와 유형 2가지(4점)

321 인지주의 동기이론　　●●○

드웩 등(C. Dweck) 등의 목표지향이론에 근거할 때 제시문의 A 학생과 B 학생이 갖고 있는
목표의 유형, 해당 목표가 학습에 미치는 영향을 목표별로 각 1가지(4점)

> A 학생 : 나는 이 과제가 나에게 얼마나 도움이 되는가에 초점을 두면서 목표를 설정해.
>
> B 학생 : 나는 우리 반에서 제일 유능하게 보일 수 있는 목표를 설정해.

322 인지주의 동기이론　　●○○

앳킨슨(J. Atkinson) 등의 성취동기이론에서 제시하는 성취동기의 개념, 성취동기가 높은
학생과 낮은 학생의 차이점 3가지(4점)

323 인지주의 동기이론　　●○○

에클스와 위그필드(J. Eccles & A. Wigfield)의 기대가치이론에서 제시하는 기대와 가치의 개념,
셀리그만(M. Seligman)이 제시한 학습된 무기력의 개념과 학습된 무기력을 가진 학생의 특징
1가지(4점)

Chapter 03 　학습자의 발달

중요도 ○○○

324　발달에 대한 이해 

브론펜브레너(U. Bronfenbrenner)의 생태이론에 근거할 때 다음 제시문에서 A 학생의 발달에 영향을 미친 체계 3가지(3점)

> A 학생이 초등학교 1학년이 되었을 때 A 학생의 아버지는 1년간 법적으로 보장된 육아휴직을 하였다. A 학생은 1년간 아버지와 여행도 다니면서 많은 추억을 쌓았고, A 학생의 아버지 또한 학부모위원을 맡아 교내활동에 적극적으로 참여하였다.

325　인지적 영역의 발달 

피아제(J. Piaget)의 인지발달이론에서 제시하는 동화와 조절의 개념, 이 이론에서 발달단계에 대한 기본 전제 2가지(4점)

326 인지적 영역의 발달　●○○

피아제(J. Piaget)의 인지발달이론에 근거할 때 전조작기 아동과 형식적 조작기 아동의 특징을 각 시기의 아동별로 2가지(4점)

327 인지적 영역의 발달　●●○

비고츠키(L. Vygotsky)의 인지발달이론에서 강조하는 근접발달영역(ZPD)의 개념, 이 영역을 발달시키기 위해 교사가 활용할 수 있는 구체적 비계 설정(Scaffolding)의 유형 3가지(4점)

328 인지적 영역의 발달　●●○

피아제(J. Piaget)와 비고츠키(L. Vygotsky)의 인지발달이론의 차이점 3가지(3점)

329 성격 발달

프로이드(S. Freud)의 심리성적 발달이론에서 제시하는 정신의 구조 3가지, 성격의 구조 3가지, 성격의 발달과정 설명(3점)

330 성격 발달

에릭슨(E. Erikson)의 심리사회적 발달이론에 근거할 때 제시문의 A 학생과 B 학생에 해당하는 단계의 명칭과 각 단계별 학생이 보이는 특징 1가지(4점)

A 학생은 칭찬 스티커판을 채우는 데 진심을 다하고 있으며, B 학생은 갑자기 거울 보는 시간이 길어지고 아이돌 등 특정 문화에 집착하거나 또래집단에 몰입하면서 나만의 색깔을 찾으려 노력한다.

마샤(J. Marcia)의 정체성 지위이론에서 제시하는 정체성 상태를 판별하는 기준 2가지, 해당 기준에 근거할 때 제시문 속 A 학생과 B 학생의 정체성 지위 상태의 명칭(4점)

A 학생 : 저는 제 꿈과 끼를 찾기 위해 열심히 고민하고 있지만 아직 무엇을 해야 할지 결정하지 못했어요.

B 학생 : 그냥 지금처럼 부모님이 시키는 대로만 열심히 할래요.

사회성의 개념, 사회성 발달에 영향을 미치는 요인 3가지(4점)

333 사회성 발달 ●○○

셀만(R. Selman)의 사회적 조망수용이론에서 제시된 사회적 조망수용능력의 개념, 이 이론에
기반했을 때 제시문의 A 학생과 B 학생이 해당하는 단계의 명칭(3점)

> 친구가 실수로 내가 아끼는 펜을 떨어뜨려 망가뜨린 상황이다. 이에 대해 A 학생은 "내 펜이
> 있는 걸 알면서도 지나가다 쳤어? 그럼 일부러 그런 거네! 사과해!"라고 응답한 반면, B 학생은
> "선생님이나 다른 친구들이 보면 고작 펜 하나 때문에 친구와 다투는 건 어리석다고 생각할
> 거야. 펜은 다시 사면 되지만 친구는 아니잖아?"라고 응답하였다.

334 사회성 발달 ●●●

사회정서능력의 구성 요소 3가지, 사회정서능력이 중요한 이유 1가지(4점)

335 도덕성 발달

콜버그(L. Kohlberg)의 도덕성 발달이론에 근거할 때 제시문의 A 학생과 B 학생이 해당하는
단계의 명칭, 이 이론의 의의와 한계 각 1가지(4점)

〈딜레마 상황〉

지민이와 수아는 둘도 없는 단짝 친구입니다. 현재 두 학생은 전액 장학금이 걸린 학교의
마지막 기말고사를 앞두고 치열하게 경쟁 중입니다. 수아는 가정 형편이 매우 어려워, 이
장학금을 받지 못하면 대학 진학을 포기하고 바로 생업에 뛰어들어야 하는 절박한 상황입니다.
어느 날, 지민이는 우연히 교무실에서 수아가 교사 몰래 기말고사 시험지를 복사해 가는 것을
목격했습니다. 이 상황에서 어떻게 하겠습니까?

〈학생의 반응〉

A 학생 : 절대 신고하면 안 돼. 신고했다가는 다른 친구들이 '친구를 팔아먹은 배신자'라고
         욕하며 왕따시킬 거야. 신고하지 않으면 친구들이 좋아해줄 거야.
B 학생 : 신고해야 해. 수아의 사정이 아무리 불쌍하더라도, '시험에서 부정행위를 하면
         안 된다'는 학교의 교칙은 절대적이야. 규칙을 예외로 눈감아주기 시작하면 학교의
         평가 시스템과 질서 자체가 완전히 무너져버릴 거야.

---

336 도덕성 발달

길리건(C. Gilligan)의 도덕성 발달이론에서 제시하는 배려의 윤리의 개념, 해당 이론에서 구분한
3가지 도덕성 수준(4점)

Chapter 04 교수학습의 이해

중요도 ○○○

337 행동주의 학습이론

행동주의 학습이론에서 말하는 학습의 개념, 행동주의 학습이론에서의 기본 가정 3가지(4점)

338 행동주의 학습이론

손다이크(E. Thorndike)의 시행착오설에 근거할 때 학습원리 3가지(3점)

339 행동주의 학습이론

●○○

고전적 조건형성이론과 조작적 조건형성이론의 차이점 2가지, 조작적 조건형성이론의 학습원리 2가지(4점)

340 행동주의 학습이론

강화의 유형 2가지, 프리맥(Premack) 원리의 개념(3점)

341 행동주의 학습이론

다음 제시문에서 A 교사가 활용한 강화계획의 명칭과 그 한계 1가지, B 교사가 활용한 강화계획의 명칭과 그 효과 1가지(4점)

> A 교사 : 학생들의 수업 태도를 바르게 하기 위해 수업 시작 후 20분이 경과할 때마다 가장 바른 자세로 앉아 있는 모둠에게 칭찬 스티커를 줄 예정입니다.
>
> B 교사 : 학생들의 적극적인 발표를 유도하기 위해 어떨 때는 1번만 손을 들었을 때 칭찬하고 어떨 때는 3번, 어떨 때는 4번 손을 들어야 칭찬을 할 계획입니다.

342 행동주의 학습이론

처벌의 유형 2가지, 처벌의 교육적 순기능과 역기능 각 1가지(4점)

343 행동주의 학습이론

조작적 조건형성이론에서 제시하는 암시(Prompting), 연쇄(Chaning), 조형(Shaping)의 개념(3점)

344 행동주의 학습이론

반두라(A. Bandura)가 제시하는 관찰학습의 4단계를 단계별로 설명(4점)

345 ◀ 인지주의 학습이론

행동주의 학습이론과 인지주의 학습이론의 차이점을 학습관, 학습자관, 교사의 역할 측면에서 각 1가지(3점)

346 ◀ 인지주의 학습이론　　●○○

앳킨슨과 쉬프린(R. Atkinson & R. Shiffrin)의 정보처리이론에 근거할 때 감각등록기의 특징 1가지, 감각등록기에서 발생하는 정보처리과정 2가지, 이 이론에서 제시하는 칵테일파티 효과 (Cocktail Party Effect)의 개념(4점)

347 ◀ 인지주의 학습이론

앳킨슨과 쉬프린(R. Atkinson & R. Shiffrin)의 정보처리이론에 근거할 때 작업기억의 특징 1가지, 작업기억에서 발생하는 정보처리과정 2가지(3점)

348 인지주의 학습이론 ●●●

앳킨슨과 쉬프린(R. Atkinson & R. Shiffrin)의 정보처리이론에 근거할 때 부호화의 효과 1가지,
부호화를 촉진하는 방법 3가지(4점)

349 인지주의 학습이론 ●●●

플라벨(J. Flavell)이 제시한 메타인지의 개념, 메타인지와 관련한 지식 3가지(4점)

350 인지주의 학습이론

망각의 주요 유형 중 쇠퇴(Decay)와 치환(Displacement)의 개념, 간섭(Interference)의 2가지
종류(4점)

351 인지주의 학습이론 ●●○

학습에서 전이의 개념, 학습의 전이에 영향을 미치는 요인 3가지(4점)

352 효과적인 교수 ●●●

교사효능감의 개념, 교사효능감의 유형 2가지, 교사효능감이 중요한 이유 1가지(4점)

351 인지주의 학습이론

Chapter 05 생활지도 및 상담

중요도 ○○○

353 생활지도와 진로지도의 기본적 이해

생활지도의 기본원리 4가지(4점)

354 생활지도와 진로지도의 기본적 이해

●○○

다음의 A 교사가 기존에 실시한 진로지도 방법의 단점 2가지, 새롭게 실시하려는 진로지도 방법의 개념과 장점 1가지(4점)

> A 교사 : 지난 학기까지는 진로지도를 위해 학생들과 함께 진로체험처를 방문했어요. 당시 교실에서는 경험할 수 없던 것들을 직접 체험할 수 있어서 좋았지만, 여러 단점들도 있더라고요. 올해는 교과연계 진로지도를 하려고 해요.

355 생활지도이론 

홀랜드(J. Holland)의 6각형 모형(RIASEC)에서 제시하는 성격 유형 중 다음 A 학생의 성격에
적합한 유형의 명칭, 크럼볼츠(J. Krumboltz)의 우연학습이론에 근거할 때 B 학생이 언급한
계획된 우연의 개념과 이를 형성하기 위한 행동특성 2가지(4점)

> A 학생 : 저는 사람들과 어울리거나 사람들에게 새로운 것을 알려주는 것을 좋아해요.
>
> B 학생 : 시간이 지나고 나서 생각해 보면 계획된 우연으로 인해 제 진로가 변화하는 것 같아요.

356 생활지도의 실제

「교원의 학생생활지도에 관한 고시」에 근거할 때 훈육의 개념과 훈육으로서 분리의 장점과 단점
각 1가지, 훈계의 개념(4점)

357 학생상담

성공적인 상담의 기본 요건 4가지(4점)

VI

교육행정

중요도별 문제 일람표

Chapter	주제별	중요도별 문제 번호			
		●●●	●●○	●○○	—
교육행정 총론	교육행정의 의의(358)				358
	교육행정이론의 발달(359~361)			359	360, 361
동기이론	내용이론(362~363)			362	363
	과정이론(364~366)		365	364, 366	
지도성이론	지도성에 대한 관점변화(367~372)		371	369, 370	367, 368, 372
	최근의 지도성이론(373~378)	373, 377	374, 375, 376		378
조직론	조직의 기본적 이해(379)				379
	조직 유형 및 학교조직(380~387)	383, 387	380, 386	384	381, 382, 385
	조직 문화 및 풍토(388~395)		390	391, 393, 395	388, 389, 392, 394
	조직관리(396~398)	397	398	396	
의사소통	의사소통의 기본적 이해(399~400)				399, 400
	의사결정 모형(401~402)		402		401
교육행정 실제	교육기획(403~404)			403, 404	
	교육정책 결정(405~408)		405, 406, 407	408	
	교원의 전문성 향상 방안(409~414)	411, 412	410, 413		409, 414
	교원 인사행정(415)				415
	교육재정(416~419)			417	416, 418, 419
학교 및 학급경영	학교경영(420~424)		423	424	420, 421, 422
	학급경영(425)				425

Chapter 01 교육행정 총론

중요도 ○○○

358 교육행정의 의의

다음 A 교사의 의견에서 찾을 수 있는 교육행정의 성격 1가지, B 교사의 의견에서 찾을 수 있는 교육행정의 원리 3가지(4점)

> A 교사 : 교육부나 교육청은 이제 과거처럼 지휘, 통제, 감사 중심에서 벗어나 학교현장을 지원해주는 역할을 확립해야 합니다. 그러기 위해서는 권한을 최대한 지방과 학교에 이양하는 것이 필수적이지요.
>
> B 교사 : 맞습니다. 교육행정의 주체는 이제 학교여야 하는 것이지요. 다만, 학교 내에서도 교장·감 중심의 행정이 아닌 일반 교사들이 폭넓게 참여할 수 있도록 해야 하고, 학교의 예산과 자원이 한정되어 있는 것을 감안해야 합니다. 그러면서도 「초·중등교육법」 등 법의 테두리 안에서 행정이 운영되어야 하는 것이지요.

359 교육행정이론의 발달

●○○

베버(M. Weber)가 제시한 관료제의 의미, 학교가 가지는 관료제적 특성 3가지(4점)

360 교육행정이론의 발달

과학적 관리론과 인간관계론의 차이점을 추구하는 가치, 강조하는 조직의 형태, 동기유발 방안 측면에서 각 1가지(3점)

361 교육행정이론의 발달

행정에 대한 체제론적 접근의 의미, 호이와 미스켈(W. Hoy & C. Miskel)의 학교체계 모형에 근거할 때 구조체제 외에 학교체제 분석을 위한 체제 3가지(4점)

Chapter 02 동기이론

중요도 ○○○

362 내용이론 ●○○

직무동기에 관한 허즈버그(F. Herzberg)의 2요인이론에서 제시하는 동기요인과 위생요인의 개념, 2요인이론의 의의와 한계 각 1가지(4점)

363 내용이론

다음에서 제시된 특징을 제외하고 매슬로우(A. Maslow)의 욕구위계이론과 다른 앨더퍼 (C. Alderfer)의 ERG 이론의 특징 3가지(3점)

> 매슬로우(A. Maslow)의 욕구위계이론에서는 욕구를 생리적, 안전, 사회적, 존경, 자아실현 욕구 등 5가지로 구분하지만 앨더퍼(C. Alderfer)는 욕구를 생존, 관계, 성장 욕구로 구분한다.

364 과정이론 ●○○

브룸(V. H. Vroom)의 기대이론에서 동기유발 과정을 설명하는 3가지 요소(3점)

365 과정이론 ●●○

브룸(V. H. Vroom)의 기대이론과 다른 포터와 롤러(W. Porter & W. Lawler)의 성과ㆍ만족
이론의 특징 3가지(3점)

06

366 과정이론 ●○○

애덤스(J. Adams)의 공정성이론에서 공정성을 판단하는 기준 1가지, 로크(E. Locke)의 목표
설정이론에 근거할 때 동기를 유발하는 목표의 특징 3가지(4점)

Chapter 03 지도성이론

중요도 ○○○

367 지도성에 대한 관점변화

교사 지도성(Teacher Leadership)의 개념, 지도성에 대한 전통적 접근으로서 특성적 접근과 행동적 접근의 개념 각 1가지, 전통적 접근의 한계 1가지(4점)

368 지도성에 대한 관점변화

오하이오 주립대학의 연구결과에서 구분한 지도자의 구조중심 행동과 배려중심 행동의 특징 1가지, 교육조직 지도자가 보이는 행동의 특징 1가지와 지도자 유형의 명칭(4점)

369 지도성에 대한 관점변화

●○○

블레이크와 머튼(R. Blake & J. Mouton)의 관리망이론에 근거할 때 바람직한 지도자 유형의 명칭, 이러한 지도자가 보이는 행동상의 특징을 목표설정, 의사결정, 갈등관리 측면에서 각 1가지(4점)

370 **지도성에 대한 관점변화** ●○○

피들러(F. Fiedler)의 상황이론에 따를 때 다음의 빈칸 A에 들어갈 용어, 이것에 영향을 미치는 요인 3가지(4점)

> 피들러(F. Fiedler)에 따르면 지도성은 지도자의 동기에 의해 결정되며, 조직의 효과는 지도자로 하여금 집단에 대하여 영향력을 발휘할 수 있도록 하는 정도인 [　　　　A　　　　]에 따라 달라진다고 본다.

06

371 **지도성에 대한 관점변화** ●●○

허쉬와 블랜차드(P. Hersey & K. Blanchard)의 상황적 지도성이론에서 제시하는 구성원 성숙도의 세부 유형 2가지, 이 이론에 근거할 때 제시문의 A, B 학교에 적합한 지도성의 명칭과 지도자 행동상의 특징 1가지(4점)

> A 학교 : 신규 교사가 많아 업무 수행 경험은 충분하지 않지만 열의가 높은 학교
> B 학교 : 곧 퇴직을 앞둔 교사가 많아 업무 수행 경험은 충분하지만 열의가 부족한 학교

372 지도성에 대한 관점변화

커와 저미어(S. Kerr & J. Jermier)의 지도성이론에서 제시하는 대용 상황과 억제 상황의 개념, 구성원의 특성 외에 상황에 영향을 주는 변인 2가지(4점)

373 최근의 지도성이론 ●●●

배스(B. M. Bass)가 제시한 변혁적 지도성(Transformational Leadership)의 개념, 특징 3가지 (4점)

374 최근의 지도성이론 ●●○

변혁적 지도성(Transformational Leadership)과 거래적 지도성(Transactional Leadership)의 차이점을 의사소통 방식, 보상 방식, 변화에 대한 태도 측면에서 각 1가지(3점)

375 최근의 지도성이론 ●●○

다음과 관련한 지도성의 명칭과 이러한 지도성이 학교조직에 미치는 긍정적 영향 3가지(4점)

> 이 지도성은 전통적 방식에 의해 통제되는 조직의 비효율성을 극복하기 위해 구성원들의
> 자발적 지도성을 개발하고 활용하려는 관점이다. 즉, 구성원들이 스스로 지도자로 성장할
> 수 있도록 도와주는 지도성이라고 할 수 있다.

376 최근의 지도성이론 ●●○

서지오반니(T. J. Sergiovanni)가 구분한 교장의 지도성 유형에 근거할 때, 다음의 A 교장과 B 교장에 해당하는 지도성의 명칭, 지도성 유형 중 가장 높은 수준에 해당하는 지도성의 명칭과 해당 지도성을 가진 교장의 특징 1가지(4점)

> A 교장: 목표달성을 위해 계획을 촘촘하게 수립하고 시간관리를 강조한다.
> B 교장: 교원에 대한 지원과 격려를 아끼지 않고, 교내 연수를 통해 성장의 기회를 제공한다.

377 최근의 지도성이론

서지오반니(T. J. Sergiovanni)가 제시한 도덕적 지도성의 개념, 도덕적 지도성을 갖춘 교장의
특징 3가지(4점)

378 최근의 지도성이론

다음에서 언급된 지도성의 명칭과 해당 지도성이 학교에 미치는 긍정적 영향 1가지를 지도성
별로 제시(4점)

> A 지도성은 리더십을 특정 직책이나 개인의 권한으로 한정하지 않고, 구성원들이 공동으로
> 리더십을 발휘하도록 하는 리더십을 의미한다. B 지도성은 다른 사람들의 신념과 가치,
> 행동, 성취에 대해 강하고 확산적인 영향력을 행사할 수 있는 지도자의 비범한 능력과 관련된
> 지도성을 의미한다.

Chapter 04 　조직론

중요도 ○○○

379　조직의 기본적 이해

조직의 기본 구성요소 3가지(3점)

380　조직 유형 및 학교조직　●●○

학교 내 비공식조직의 순기능과 역기능 각 2가지(4점)

381　조직 유형 및 학교조직

계선조직과 참모조직의 개념, 참모조직의 장점과 단점 각 1가지(4점)

382 조직 유형 및 학교조직

다음을 참고하여 파슨스(T. Parsons)의 조직 유형과 블라우와 스캇(P. Blau & R. Scott)의
조직 유형에 근거할 때 학교조직의 조직 유형 설명, 칼슨(R. Carlson)의 조직 유형 구분에
근거할 때 우리나라의 일반계 공립 고등학교와 특수목적 고등학교에 해당하는 조직 유형 설명
(4점)

- 파슨스(T. Parsons)는 사회체제가 유지·발전되기 위해 수행해야 하는 4가지 기능을
  제시하였고, 이러한 기능을 수행하는 조직을 유형화하였다.
- 블라우와 스캇(P. Blau & R. Scott)은 조직활동의 주요 수혜자가 누구인가에 따라 조직을
  분류하였다.
- 칼슨(R. Carlson)은 조직의 고객 선택권, 고객의 참여 결정권에 따라 조직을 4가지로 분류
  하였다.

383 조직 유형 및 학교조직 ●●●

다음에서 A 교사가 언급한 학교의 전문적 특성 1가지, B 교사가 언급한 일선 관료제의 개념과 일선
관료제의 특징 2가지(4점)

A 교사 : 학교는 일반 관료제와 달리 전문적 특성을 지닌 전문적 관료제라고 할 수 있습니다.
B 교사 : 학교가 일반 관료제와 조금 다르다는 것에 동의합니다. 학교는 립스키(M. Lipskey)가
　　　　말한 일선 관료제(Street-Level Bureaucracy)라고 할 수 있습니다.

384 조직 유형 및 학교조직　　　　　　　　　　　　　　　　　　　　　●○○

코헨(D. Cohen) 등이 언급한 조직화된 무질서조직의 특징 3가지(3점)

385 조직 유형 및 학교조직

와익(K. Weick)이 제시한 이완조직의 개념, 이완조직의 특성 3가지(4점)

386 조직 유형 및 학교조직　　　　　　　　　　　　　　　　　　　　　●●○

센지(P. M. Senge)가 제시한 학습조직의 개념, 학습조직의 기본원리 3가지(4점)

387 조직 유형 및 학교조직

전문적 학습공동체의 개념, 전문적 학습공동체가 학교에 미치는 긍정적 영향 3가지(4점)

388 조직 문화 및 풍토

조직문화에 대한 맥그리거(D. McGregor)의 분류에 근거할 때 X이론에 따른 인간관의 특징과 이에 기반한 관리전략의 특징 각 1가지, Y이론에 따른 인간관의 특징과 이에 기반한 관리전략의 특징 각 1가지(4점)

389 조직 문화 및 풍토

아지리스(C. Argyris)의 미성숙─성숙이론에 근거할 때 미성숙한 조직과 성숙한 조직의 차이점 3가지(3점)

390 조직 문화 및 풍토

세시아와 글리나우(N. Sethia & M. Glinow)가 구분한 문화 유형 중 제시문의 A 학교에 해당하는 문화 유형의 명칭과 단점 1가지, B 학교에 해당하는 문화 유형의 명칭과 단점 1가지(4점)

> A 학교 : 좋은 대학 진학이라는 가시적인 목표달성에만 집중하는 학교
>
> B 학교 : 온정주의 철학에 기반하여 구성원과의 긍정적 관계, 복지에만 관심이 있는 학교

391 조직 문화 및 풍토

스타인호프와 오웬스(C. Steinhoff & R. Owens)가 구분한 학교 문화 유형 4가지의 명칭과 각 유형별 교장의 특징 1가지(4점)

392 조직 문화 및 풍토

하그리브스(D. Hargreaves)의 학교문화 유형론에 근거할 때 유형을 구분하는 기준 2가지, 두 기준에 근거할 때 바람직한 학교문화의 특징 1가지(3점)

393 조직 문화 및 풍토

핼핀과 크로프트(A. Halpin & D. Croft)의 학교풍토론에 근거할 때 학교풍토의 개념, 이 이론에 근거할 때 다음의 각 학교가 해당하는 학교풍토의 명칭(4점)

> A 학교 : 학교의 목표와 구성원의 사회적 욕구가 모두 충족된 학교로서 교장은 높은 추진력을 가지며, 교사들은 높은 사기와 책임의식을 가짐
> B 학교 : 교사들의 사회적 욕구 충족에만 관심이 있고, 목표달성에는 소홀한 학교로서 교사들끼리는 친하지만 업무를 회피하려고 함
> C 학교 : 교장이 불필요한 일을 강조하고 교사들은 거의 만족감을 느끼지 못하는 학교로서 교사들은 교장이 자신의 일을 방해한다고 믿으며 업무를 회피하려고 함

394 조직 문화 및 풍토

마일즈(M. B. Miles)가 제시한 조직건강의 3가지 변인(3점)

395 조직 문화 및 풍토 ●○○

윌로워(W. Willower)가 학교 풍토를 분석하기 위해 사용한 기준 1가지, 이 기준에 따를 때
학교 풍토의 유형 2가지(3점)

396 조직관리 ●○○

학교 내 교사 간 갈등의 발생원인 3가지(3점)

397 조직관리　　●●●

학교조직 내에서 발생할 수 있는 갈등의 순기능과 역기능 각 2가지(4점)

398 조직관리　　●●○

토마스 등(K. Thomas et al.)의 갈등관리 전략에 근거할 때 다음의 상황 속 A 교사의 입장에서
적절한 갈등관리 전략의 명칭과 특징 1가지를 상황별로 제시(3점)

상황 1 : 체험학습 당일, 비가 많이 와서 야외 활동이 위험해졌다. B 교사는 "아이들이 기대
　　　　 했으니 일정을 조금 축소해서라도 강행하자"라고 주장하지만, 안전 책임자인 A 교사는
　　　　 "야외 활동을 취소하고 실내 대체 프로그램으로 변경해야 한다"라고 주장한다.
상황 2 : 교무실 자리를 재배치한 뒤 커피머신을 관리하는 방식을 두고 옆 자리 B 교사와 의견
　　　　 충돌이 생겼다. A 교사는 "이런 사소한 문제로 동료에 대한 감정을 상하게 하는
　　　　 것은 내 교직 생활에 아무런 도움이 안 된다"라고 판단하였다.
상황 3 : 기말고사 대비 특강 기간에, A 교사와 B 교사가 최고급 빔 프로젝터가 있는 대강의실을
　　　　 같은 날, 같은 시간에 사용하겠다고 나섰다. 당장 내일이 특강이라 완벽한 대안을
　　　　 찾을 시간이 없다.

Chapter 05 의사소통

중요도 ○○○

399 의사소통의 기본적 이해

조해리(Johari)의 창에 근거할 때 다음의 각 상황별 의사소통 영역의 명칭과 의사소통 방식의 명칭(4점)

상황 1 : 부장 교사가 회의시간에 항상 남의 말을 다 끊고 본인 혼자 결론을 내버린다. 동료 교사들은 모두 여기에 불만을 품고 있지만, 정작 부장 교사 본인은 "나는 후배 교사들을 잘 이끄는 카리스마 있는 리더야"라고 착각하고 있다.

상황 2 : 신규 교사가 담임 학급의 거친 학생들 때문에 매일 극심한 스트레스를 받고 수업 진도도 못 나가고 있으면서도, 동료 교사들에게 무능해 보일까 봐 교무실에서는 "우리 반 아이들 잘해요"라고만 하고, 더 이상 구체적 이야기는 하지 않는다.

400 의사소통의 기본적 이해

고든(T. Gordon)이 제시한 너-전달법(You Message)의 특징과 역기능 각 1가지, 나-전달법(I Message)의 특징과 순기능 각 1가지(4점)

401 의사결정 모형

브리지스(E. Bridges)의 참여적 의사결정 모형에서 조직 구성원의 참여를 결정하는 기준 2가지, 다음의 상황에서 A 중학교에 허용되는 참여의 형태 1가지(3점)

> A 중학교가 학교 자율시간 운영기간을 결정하고자 한다. 학교 자율시간은 올해 처음 시작되는 제도이며, A 중학교는 소규모 학교이고 그마저도 교사 대부분의 경력이 1~2년차라 자율적 교육과정 운영 경험이 부족하다.

402 의사결정 모형

호이와 타터(W. Hoy & C. Tarter)의 참여적 의사결정 모형에 따를 때 다음의 A, B 상황에서 나타날 수 있는 의사결정의 형태와 이때 리더의 역할을 상황별로 제시(4점)

> A 상황 : 구성원들이 관련성과 전문성을 갖고 있고 조직에 대한 신뢰가 부족한 상황
> B 상황 : 구성원들이 전문성을 가지고 있으나 관련성은 없는 상황

Chapter 06 교육행정 실제

중요도 ○○○

403 교육기획

●○○

교육기획의 의미, 교육기획의 효용성 3가지(4점)

404 교육기획

●○○

다음과 관련하여 교육기획을 할 때 준수해야 하는 원리 2가지, 접근방법 2가지(4점)

> 교육은 사회적인 파급력이 크기 때문에 교육기획 시 사회의 수요와 다양한 이해관계인의
> 의견 등을 반영해야 할 것이다. 또한, 공교육은 국가의 세금을 통해서 운영되므로 제한된
> 자원 내에서 최대의 효과를 낼 수 있도록 기획해야 한다.

405 교육정책 결정

교육정책 결정 모형 중 다음 A, B 모형의 장점과 단점을 모형별로 각 1가지(4점)

> A 모형 : 문제를 확인하고 대안별 장단점을 완벽하게 정리하여 최선의 대안을 마련하는 모형
>
> B 모형 : 이전에 존재하던 대안에서 조금만 바뀐 수준에서 대안을 마련하는 모형

406 교육정책 결정

다음에서 설명하는 정책결정 모형의 명칭, 해당 모형의 4가지 구성 요소, 이 모형에 따른 의사결정의 의의와 한계 각 1가지(4점)

> 일반적인 관료제의 형태와 다른 학교에서는 정책결정이 일반적인 형태와 다르게 나타나기도 한다. 특히, 위기상황이거나 오랫동안 해결되지 못했던 문제들이 합리적인 의사결정, 참여를 통한 의사결정을 통해서 해결되는 것이 아니라 우연히 해결되는 경우가 종종 발생한다.

407 교육정책 결정 

킹던(J. Kingdon)의 정책흐름 모형에서 제시하는 3가지 흐름 설명, 이 모형에서 설명하는 정책의
창(Policy Window)의 특성 1가지(4점)

408 국가와 지역이 함께하는 교육

다음에서 제시된 마을교육공동체의 개념, 마을교육공동체와 협력을 통해 교육정책을 결정하는
경우의 장점 3가지(4점)

> 최근 마을교육공동체와의 협력을 통해 학교의 교육정책을 결정하는 사례가 많아지고 있다.
> 또한, 방과후학교에 지역 내 교사를 초빙하는 것을 넘어서 마을 축제를 함께 기획하거나
> 생태탐방, 마을의 문제를 해결하기 위한 협력적 프로젝트 등 실천 양태 역시 다양해지고 있다.

409 교원의 전문성 향상 방안

다음을 참고하여 장학에 대한 관점 중 역할로서의 장학이 갖는 한계 2가지, 과정으로서의 장학이
갖는 의의 2가지(4점)

> 역할로서 장학을 보는 관점은 누가 장학을 하는가에 초점을 두며, 이때 장학의 형태는 상급
> 행정기관 중심의 관리장학으로 나타난다. 반면, 과정으로서의 장학은 장학의 주체보다는
> 학교현장의 변화를 위해 어떻게 장학이 나타나는가에 관심이 있다.

410 교원의 전문성 향상 방안

학교가 자율적으로 실시하는 장학의 의의 2가지, 한계 2가지(4점)

411 교원의 전문성 향상 방안

제시문의 A 교사가 실시하려는 장학의 명칭, 이러한 장학의 장점 2가지(3점)

> A 교사 : 저는 집중적으로 연습할 교수기술을 하나 정하고, 5~10분 분량의 짧은 수업 지도안
> 을 작성할 예정이에요. 이후 소수의 학생들을 대상으로 짧게 수업을 진행하고
> 그것을 스마트폰으로 촬영할 거예요. 그 다음에는 우리 교육청 수석 교사들께
> 영상을 보내 피드백을 받고자 합니다.

412 교원의 전문성 향상 방안

동료장학의 개념, 동료장학이 학교조직에 미치는 긍정적 영향 3가지(4점)

413 교원의 전문성 향상 방안

자기장학의 개념, 자기장학의 의의 2가지, 한계 1가지(4점)

414 교원의 전문성 향상 방안

다음에 제시된 장학의 명칭, 이러한 장학에서 준수해야 하는 원리 2가지, 이러한 장학의 한계 1가지(4점)

> 다양한 형태의 수업이 등장하게 되면서 교수의 질을 높이기 위한 장학의 형태도 이전보다 다양해지고 있다. 예를 들어 문제가 발생한 경우 교육청 주도로 이루어지던 과거의 장학에서 탈피하여, 교원들 스스로의 필요에 의해서 외부 전문기관을 찾고 그들의 전문적인 장학을 요청하는 경우도 찾아볼 수 있다.

415 교원 인사행정

「교육공무원법」에 근거할 때 교원의 의사와 상관없이 임용권자가 휴직을 명해야 하는 상황 2가지,
교원의 의사가 있는 경우 임용권자가 휴직을 명해야 하는 상황 2가지(4점)

416 교육재정

교육재정의 개념, 머스그레이브(R. Musgrave)가 제시한 교육재정의 기능 3가지(4점)

417 교육재정

목적사업비의 개념, 목적사업비의 장점 1가지, 단점 2가지(4점)

418 교육재정

다음에 제시된 A 예산제도의 명칭과 단점 1가지, B 예산제도의 장점과 단점 각 1가지(4점)

> A 예산제도 : 지출 대상을 인건비, 시설비, 운영비 등과 같이 세분화하여 지출 대상과 한계를
> 명확히 규정
> B 예산제도 : 각급학교의 운영을 위하여 총액으로 교부되는 경비로서, 총액 내에서 학교별로
> 편성 및 운영

419 교육재정

다음과 같은 예산제도의 명칭, 이 예산제도의 장점 2가지, 단점 1가지(4점)

> A 고등학교는 연구학교 운영비로 1,000만원의 특별교부금을 받게 되었다. 교사들은 이전
> 년도와 같은 방식으로 예산을 편성하고자 했으나, 박 교장은 전년도 예산에 구애받지 말고
> 사업을 전면 재검토하여 우선순위를 새롭게 설정하고 예산을 편성할 것을 요구하였다.

Chapter 07 학교 및 학급경영

중요도 ○○○

420 학교경영

학교경영의 원리 2가지, 부시(T. Bush)의 학교경영 모형에 근거할 때 다음의 A, B 학교에 해당하는 학교경영 모형의 명칭(4점)

> A 학교 : 조직의 위계적 구조가 강조되며 합리적 접근을 통해 목적 달성을 추구하는 학교
> B 학교 : 구성원의 참여적 의사결정을 통해 목표를 설정하는 학교

421 학교경영

목표관리제(MBO)의 개념, 목표관리제의 의의 2가지, 학교에서 목표관리제를 적용하기 힘든 이유 1가지(4점)

교원의 업무분장 시 지켜야 하는 원칙 3가지(3점)

머피와 벡(J. Murphy & L. Beck)이 분류한 단위학교 자율책임경영제(SBM) 모형 3가지, 단위학교 자율책임경영제의 의의 1가지(4점)

424 학교경영

학교운영위원회의 순기능 2가지와 학교운영위원회의 운영상 발생할 수 있는 문제점 2가지 (4점)

425 학급경영

학급경영 시 할 수 있는 기초조사의 내용 3가지를 서로 다른 이유 1가지와 함께 제시(3점)

VII

교육사회

Chapter	주제별	중요도별 문제 번호			
		●●●	●●○	●○○	–
교육사회학 이론	기능론적 관점(426~428)			426	427, 428
	갈등론적 관점(429~432)			429, 431	430, 432
	미시적 관점(433~437)			433, 437	434, 435, 436
교육과 평등	공교육의 확대와 학력 상승(438~439)			439	438
	교육과 사회이동(440)				440
	교육평등론(441~442)		441	442	
	기초학력 보장(443~444)		444	443	
교육과 경쟁	교육선발과 시험(445~447)		447		445, 446
	학업성취와 격차(448~449)		449		448
교육과 문화	비행이론(450~452)		450	451, 452	
평생교육과 다문화교육	평생교육(453~455)				453, 454, 455
	다문화교육(456)				456

Chapter 01 교육사회학 이론

중요도 ○○○

426 기능론적 관점 ●○○

사회를 바라보는 기능론적 관점의 특징 1가지, 기능론적 관점에 따른 학교의 기능 3가지(4점)

427 기능론적 관점

다음을 언급한 학자가 언급한 사회화의 유형 2가지, 사회화를 위해 강조한 교육의 특징과 교사의 역할 각 1가지(4점)

> 교육은 사회생활을 위한 준비를 완료하지 못한 어린 세대에 대한 성인 세대의 영향력 행사이다. 따라서 사회의 주된 가치와 신념을 내면화하는 교육이 필요하다.

---

428 기능론적 관점

기능론의 입장에서 학교에서 규범교육이 필요한 이유 1가지, 드리븐(M. Dreeben)이 분류한 사회적 규범 중 다음 제시문에서 각 교사의 활동을 통해 길러지는 규범의 명칭(3점)

> A 교사는 학생들의 과제수행 과정을 관찰하고 수행결과와 종합하여 가장 열심히 노력한 학생에게 가장 높은 성적을 부여하였다. 한편, B 교사는 중학교 1학년 5개 반 학생들에게 동일한 과제를 제공하였고, 동일한 규칙에 따라 협동학습을 하도록 하였다.

---

429 갈등론적 관점

갈등론적 관점에 따른 학교의 기능 2가지, 갈등론적 관점의 한계 2가지(4점)

430 갈등론적 관점

알튀세르(L. Althusser)가 구분한 국가기구의 2가지 종류, 학교에서 실시하는 의무교육의 역할
(3점)

431 갈등론적 관점　●○○

부르디외(P. Bourdieu)가 제시한 상징적 폭력의 개념, 문화자본의 3가지 유형(4점)

432 갈등론적 관점

프레이리(P. Freire)가 언급한 은행예금식 교육과 문제제기식 교육의 차이점을 교육관, 교사·학생 간 관계, 교수학습 방법 측면에서 각 1가지(3점)

433 미시적 관점

하그리브스(D. Hargreaves)가 분류한 교사 유형 중 다음의 A 교사가 해당하는 유형의 명칭, 이러한 교사 유형의 장점과 단점 각 1가지(3점)

A 교사는 학생들과 함께 노래에 맞춰 춤을 추는 영상을 만들어 개인 SNS에 자주 업로드한다.
A 교사는 학생들로부터 얻는 관심을 최우선시하면서 수업방법도 다양화하려고 노력한다.

434 미시적 관점

번스타인(B. Bernstein)의 언어사회화이론에서 구분하는 어법의 두 가지 유형, 이 이론에
근거할 때 교육 격차가 발생하는 이유 1가지(3점)

435 미시적 관점

번스타인(B. Bernstein)의 교육과정 분석에 근거할 때 다음에 해당하는 교육과정의 명칭과
해당 교육과정에 적합한 교수법의 특징 1가지, 해당 교육과정의 장점과 단점 각 1가지(4점)

> 과목 간, 전공분야 간, 학과 간 상호 관련이나 교류가 활발히 일어난다.

436 미시적 관점

맥닐(L. McNeil)이 제시한 방어적 교수법의 유형 4가지(4점)

437 미시적 관점 ●○○

다음을 참고하여 학생의 능력 외에 케디(N. Keddie)가 제시한 학생범주화의 기준 1가지, 이 기준에 따라 학생을 범주화했을 때 악영향 2가지(3점)

> 케디(N. Keddie)는 「Classroom Knowledge」에서 교사가 학생들을 범주화하고, 범주화된 그룹별로 다르게 대한다고 주장했다.

Chapter 02 교육과 평등

중요도 ○○○

438 공교육의 확대와 학력 상승

대안학교의 유형 4가지(4점)

439 공교육의 확대와 학력 상승

●○○

학력 상승의 원인에 대해 학습욕구이론, 기술기능이론, 발전교육론, 지위경쟁론 각각에 근거하여 설명(4점)

440 사회이동

터너(R. Tuner)가 말한 사회이동의 유형 2가지, 사회이동에 대한 지위획득 모형과 교육수익률 곡선의 입장 설명(4점)

441 교육평등론 ●●○

콜맨 리포트(Coleman Report)에 따를 때 학업성취에 가장 큰 영향을 미치는 요소 1가지,
해당 요소로 발생한 학업결손을 방지하기 위한 교육의 명칭과 구체적 실행방안 1가지(3점)

442 교육평등론 ●○○

교육평등의 4가지 관점을 관점별 주요 정책 1가지와 함께 설명(4점)

443 기초학력 보장   ●○○

「기초학력 보장법」에 따른 기초학력의 정의, 학습을 저해하는 요인 3가지(4점)

444 기초학력 보장   ●●○

기초학력 보장을 위한 3단계 다중 학습 안전망을 단계별로 설명(3점)

Chapter 03 · 교육과 경쟁

중요도 ○○○

445 · 교육선발과 시험

교육선발의 관점 중 엘리트주의와 평등주의의 차이점을 교육관, 평가방법, 선발시기 측면에서
각 1가지(3점)

446 · 교육선발과 시험

호퍼(E. Hopper)가 제시한 교육선발 방식의 유형 4가지(4점)

447 · 교육선발과 시험

●●○

시험의 순기능 2가지와 역기능 2가지(4점)

448 학업성취와 격차

학업성취와 격차에 관한 교사의 피그말리온 효과의 개념, 학업성취와 격차의 원인에 대한 문화실조론과 문화다원론의 입장 각 1가지(3점)

449 학업성취와 격차

다음을 참고하여 콜맨(J. Coleman)이 제시한 부모의 사회적 자본 유형 2가지, 사회적 자본 외에 학업성취에 영향을 미치는 부모의 자본 2가지(4점)

> 콜맨은 학생의 학업성취에 영향을 미치는 부모의 자본을 세 가지로 구분하면서, 부모의 사회적 자본이 학생들의 학업성취에 가장 큰 영향을 준다고 보았다.

Chapter 04 　교육과 문화

중요도 ○○○

450 　비행이론　●●○

허시(T. Hirschi)가 제시한 사회적 유대감의 개념, 다음에서 제시된 요소 외에 사회적 유대감을 구성하는 요소 3가지(4점)

> 허시(T. Hirschi)의 사회통제이론에 따르면, 비행은 개인의 동기보다는 타인과의 애착과 같은 사회적 유대가 약화됐을 때 사회통제력이 저하되면서 발생한다.

451 　비행이론　●○○

학생 비행의 원인에 대한 머튼(R. Merton)의 아노미이론, 베커(H. Becker) 등의 낙인이론, 서덜랜드(E. Sutherland)의 차별적 접촉이론의 입장 각 1가지(3점)

「학교폭력예방 및 대책에 관한 법률」 제13조의2 제1항 전단에 명시되어 있는 학교폭력에 대한 학교장의 자체 해결이 가능한 요건 4가지(4점)

Chapter 05 평생교육과 다문화교육

중요도 ○○○

453 평생교육

평생교육의 정의를 수직적 차원과 수평적 차원에서 각 1가지, 평생교육의 필요성을 개인과 사회적 측면에서 각 1가지(4점)

454 평생교육

평생교육의 원리 4가지(4점)

455 평생교육

들로어(J. Delors) 보고서에 제시된 교육의 4기둥 설명(4점)

456 다문화교육

다문화교육 관점 중 동화주의에 기초한 교육의 특징과 한계 1가지, 다문화주의에 기초한 교육의 특징과 의의 1가지(4점)

MEMO

제1판발행 | 2024. 5. 10.　**제2판인쇄** | 2026. 4. 27.　**제2판발행** | 2026. 5. 4.　**저자** | 최원휘

발행인 | 박 용　**발행처** | (주)박문각출판　**등록** | 2015년 4월 29일 제2019-000137호

주소 | 06654 서울특별시 서초구 효령로 283 서경 B/D　**팩스** | (02)584-2927

전화 | 교재 문의 (02) 6466-7202, 동영상 문의 (02) 6466-7201

저자와의
협의하에
인지생략

ISBN 979-11-7519-963-7 | 979-11-7519-962-0(세트)
정가 29,000원(분권 포함)